à Lorraine Dostie

Pierre Péladeau
cet inconnu

En toute amitié

Bernard Bujold

23 octobre 2008

Bernard Bujold

Pierre Péladeau
cet inconnu

TRAIT D'UNION

ÉDITIONS TRAIT D'UNION
284, square Saint-Louis
Montréal (Québec)
H2X 1A4
Tél. : (514) 985-0136
Téléc. : (514) 985-0344
Courriel : editions@traitdunion.net

Mise en pages : Édiscript enr.
Couverture : photo originale de Pierre Péladeau par Guy Beaupré, infographie de Tanya
        Craan ; photo de l'édifice de Quebecor par Bernard Bujold.
Photos intérieures : collection privée de l'auteur.
Maquette de la couverture : Tanya Craan.
Photographie de l'auteur : Jacques Gratton.

Catalogage avant publication de la Bibliothèque nationale du Canada
Bujold, Bernard, 1956-

    Pierre Péladeau cet inconnu

    Comprend des réf. bibliogr. et un index

    ISBN 2-89588-039-5

    1. Péladeau, Pierre, 1925-1997. 2. Quebecor inc. – Histoire. 3. Entreprises de presse
– Québec (Province). – Histoire. 4. Éditeurs – Québec (Province) – Biographies.
5. Hommes d'affaires – Québec (Province) – Biographies) I. Titre.
PN4913.P38B84 2003   070.5'092   C2003-940065-4

DISTRIBUTEURS EXCLUSIFS

POUR LE QUÉBEC ET LE CANADA   POUR LA FRANCE ET LA BELGIQUE
Édipresse inc.   D.E.Q.
945, avenue Beaumont   30, rue Gay-Lussac
Montréal (Québec)   75005 Paris
H3N 1W3   Tél. : 01 43 54 49 02
Tél. : (514) 273-6141   Téléc. : 01 43 54 39 15
Téléc. : (514) 273-7021

Nous remercions le Conseil des Arts du Canada ainsi que le
gouvernement du Canada (Programme d'aide au développement
de l'industrie de l'édition) pour leur soutien financier.

Nous bénéficions d'une subvention d'aide à l'édition de la
SODEC.

Pour en savoir davantage sur nos publications,
visitez notre site www.traitdunion.net

À mes deux enfants, David et Stéphanie.

Merci à Carole pour sa généreuse collaboration à cet ouvrage, ainsi qu'à Heljon de Rueire pour son inspiration.

Les liens du sang sont toujours les plus forts...

MARIO PUZO, *Le Parrain.*

Les meilleurs alliés de l'homme sont la femme et le cheval...

NAPOLÉON BONAPARTE.

Introduction

Il y a cinq ans, en décembre 1997, Pierre Péladeau, certainement l'un des personnages les plus controversés du milieu des affaires au Canada, s'éteignait, laissant en héritage à ses sept enfants, nés de trois unions différentes, l'un des plus riches et plus puissants empires de l'édition et de l'imprimerie en Amérique du Nord.

Je suis arrivé dans la vie de Pierre Péladeau en 1991 alors que l'empire Quebecor était en pleine croissance et qu'il avait le vent dans les voiles. Le chiffre d'affaires atteignait alors plus de deux milliards de dollars. Douze ans plus tard, au début de 2003, il est de plus de 12 milliards de dollars.

J'ai vécu avec Pierre Péladeau plusieurs événements uniques, captivants et parfois historiques. Ma principale responsabilité était de m'assurer que l'image publique du magnat de la presse soit à la hauteur du personnage. Je crois avoir connu Péladeau sous plusieurs aspects de sa personnalité qui n'étaient pas toujours visibles à première vue. J'étais avant tout adjoint exécutif, mais je suis devenu peu à peu l'ami et le confident du président fondateur de Quebecor.

Aujourd'hui, cinq ans après sa mort, je réalise que j'ai vécu aux côtés de Pierre Péladeau une période très riche en événements dans sa vie et nécessairement dans l'histoire de Quebecor. J'ai connu l'homme d'affaires québécois voici plus de vingt-cinq ans et j'ai appris à l'apprivoiser. J'ai l'intime conviction que l'histoire de ce grand personnage mérite d'être racontée.

Je suis un grand amateur de photographie et, selon moi, une image permet souvent de percevoir le vrai côté des gens. Lorsque je fais de la photographie, j'essaie de saisir l'âme de la personne qui est devant mon appareil. On pourra aimer ou non mon ouvrage, mais ce que j'ai voulu faire est une sorte de portrait en gros plan de Pierre Péladeau, pris sous l'angle où je l'ai connu et qui, je crois, fait ressortir plusieurs côtés méconnus du personnage.

Ce livre offre un récit rempli d'anecdotes et qui raconte plusieurs faits vécus dans les milieux des affaires ou de la politique avec diverses personnalités du Québec et du Canada. Pierre Péladeau nous a laissé un héritage qu'il nous appartient de découvrir dans tous ses bons et ses mauvais côtés. Je suis très heureux de vous présenter le vrai Pierre Péladeau.

Chapitre 1

Le 2 décembre 1997

La journée avait commencé comme d'habitude. C'était une belle journée d'hiver froide mais ensoleillée.

L'agenda de Pierre Péladeau, grand patron de l'empire Quebecor, était bien rempli. Quelques problèmes à résoudre et des rencontres à l'interne en avant-midi. L'après-midi, il avait fixé un rendez-vous à un journaliste de Radio-Canada. Cette entrevue était planifiée depuis quelques semaines déjà et traitait d'un sujet qui lui tenait particulièrement à cœur : le mécénat et les arts. On lui avait également demandé de choisir quelques-unes de ses pièces musicales préférées que l'on ferait jouer tout au long de l'émission diffusée sur les ondes de la radio FM de la société d'État. Au petit mot que je lui avais envoyé quelques semaines plus tôt, il avait répondu d'accorder l'entrevue le 2 décembre à 15 heures.

Si on lui avait collé une étiquette d'homme d'affaires et de gestionnaire très rigide, enrichie d'une réputation de grand séducteur et d'une autre, moins prisée, de personnage irrévérencieux, on avait aussi découvert en lui un grand philanthrope, admirateur et ami des artistes et des créateurs. Ce trait de caractère a marqué de façon importante la dernière partie de sa vie. Aux dires de ses nombreux détracteurs, il voulait se racheter. Aux dires du principal intéressé, la vie l'avait choyé et il était normal qu'il redonne un peu de ce qu'il avait reçu [1].

---

1.   Voir le chapitre 11.

Le soir du jour fatidique, un concert de l'Orchestre métropolitain avait lieu à la Place des Arts, et M. Péladeau y avait invité une cinquantaine de personnes. En tant qu'adjoint au président, je devais m'occuper de coordonner l'événement et d'assigner les places aux invités. Je passai donc une bonne partie de l'avant-midi à vérifier certains détails et à confirmer les présences de dernière minute[2].

Vers 12 h 30, M. Péladeau sort pour aller dîner. À ce jour, on ne sait toujours pas qui « Monsieur P. » allait rencontrer. Rien n'était inscrit à son ordre du jour et, en sortant, il n'a rien mentionné non plus à sa secrétaire quant à son emploi du temps entre midi et 14 heures. Encore aujourd'hui, le mystère demeure. On ne semble pas savoir qui était la personne avec laquelle il aurait partagé son dernier repas. On a interrogé une quantité de gens, mais la question est restée sans réponse.

Pierre Péladeau revient au bureau vers 14 h 15 pour préparer l'entrevue de 15 heures. Il enlève ses claques qu'il dépose bien alignées dans la salle de bains de son bureau, au 13e étage de l'édifice Quebecor de la rue Saint-Jacques, en plein cœur du quartier des affaires de Montréal.

Ce bureau a été photographié à diverses reprises et les photographies ont été publiées dans plusieurs magazines et revues. On sait que le grand bureau était situé à l'angle des rues Saint-Jacques et McGill. Fenestré sur deux pans de murs, il comportait, à l'entrée, une table de travail ronde et quatre chaises. Plus loin se trouvait son bureau avec sur le côté, longeant les fenêtres, un meuble sur lequel étaient posés sa chaîne stéréo et les disques de ses pièces musicales préférées, qu'il écoutait sans arrêt.

Pierre Péladeau suspend son manteau sur un cintre et s'assoit, non pas à son bureau, mais à la table de travail située à proximité. Il aurait peut-être eu une défaillance à ce moment précis, et aurait été trop faible pour se rendre jusqu'à son bureau. Il était seul, tout le monde vaquait à ses occupations. Tout était normal.

Vers 14 h 30, sa secrétaire l'entend tousser d'une manière inhabituelle. Elle lui demande alors si tout va bien, mais n'obtient pas de réponse. Monsieur P. était très orgueilleux et n'aimait pas

---

2.   Voir la copie des billets dans le cahier photos n° 2.

que les gens le prennent en pitié ou soient témoins de ses fai-
blesses. Comme sa secrétaire n'entend aucun son, elle quitte son
poste de travail et se dirige vers celui de son patron, un peu trop
silencieux.

Au cours des derniers mois, Pierre Péladeau, alors âgé de
soixante-douze ans, avait eu quelques malaises dont certains, assez
sérieux, avaient été éprouvés lors de conférences données devant
différents groupes de gens d'affaires. Il n'y avait eu aucune pression ; il adorait ce genre de rencontres. C'était « sa » routine, mais
on aurait dit que le corps ne suivait plus.

Après avoir bu un café très fort, il revenait à lui, reprenait des
couleurs et continuait comme si rien ne s'était passé. Il avait augmenté sa consommation de café corsé de façon considérable au
cours des mois qui avaient précédé son attaque du 2 décembre 1997.

Il ne faisait pas attention à son alimentation et il pouvait manger des aliments très riches et pas du tout recommandés pour son
état. Il ne se privait de rien. Il était inutile d'essayer de le contenir
dans ses élans. Il refusait d'en entendre parler. Il ne voulait pas
savoir que, s'il continuait de cette façon, il y laisserait sa peau. Il
remettait toujours à plus tard toute question concernant d'éven-
tuelles mesures d'urgence à prendre à son sujet, ou alors il écartait
systématiquement la question.

Ce jour-là, donc, je suis au téléphone, en train de discuter avec
un des invités de M. Péladeau pour le concert prévu en soirée,
lorsque Micheline Bourget, sa secrétaire, entre en larmes dans mon
bureau. J'ai de la difficulté à comprendre ce qu'elle me dit, tant elle
est bouleversée, mais je devine que quelque chose de grave vient
d'arriver. Je cours vers le bureau de mon patron et je le trouve évanoui sur sa chaise. Un filet de salive coule entre ses lèvres et, visiblement, il ne respire plus.

Même si tout le personnel savait que M. Péladeau était fragile,
aucun employé de son entourage immédiat ne connaissait les
manœuvres de réanimation. On savait, Pierre Péladeau le premier,
qu'un incident du genre pouvait arriver à tout moment, mais on
n'avait pas encore pris les mesures nécessaires pour former au
moins une personne de son entourage qui aurait pu lui administrer
les premiers soins en cas de crise.

Les témoins diront que j'étais calme. Je dirais que j'étais préparé. C'était un scénario qui se déroulait dans ma tête depuis plusieurs mois déjà ; en fait, surtout depuis que j'avais compris qu'il ne changerait pas d'idée pour les mesures d'urgence ; je m'attendais à cette situation n'importe quand. Lors de mes vacances quelques mois plus tôt, j'étais toujours aux aguets en écoutant les nouvelles. J'étais certain que j'entendrais « la nouvelle ». Lorsque ce moment est arrivé, j'y étais préparé mentalement. De l'extérieur, je donnais l'impression de maîtriser la situation, mais à l'intérieur c'était différent. J'étais inquiet.

J'étais autant attristé par ce qui arrivait à mon patron et ami que par ce qui attendait l'entreprise. Même aujourd'hui, je suis incapable d'expliquer ce que je ressentais vraiment ; c'était un mélange de chagrin et d'appréhension envers l'avenir de Quebecor, ainsi qu'à l'égard des différentes œuvres auxquelles Pierre Péladeau s'était consacré durant les dernières années.

En quelques secondes, la stupéfaction s'est emparée d'à peu près tout le monde sur le plancher du 13e étage. Graduellement, j'ai parcouru tous les étages pour trouver rapidement quelqu'un qui pourrait intervenir en attendant l'arrivée de l'ambulance, mais en prenant bien soin de ne pas nommer la personne à secourir. J'étais descendu au 12e étage, puis au 11e, et on m'avait dit que Lise Courtemanche, une adjointe juridique, avait une formation en premiers soins. Elle est montée en vitesse au 13e étage, et c'est seulement lorsqu'elle fut parvenue sur les lieux qu'elle a su de qui il s'agissait. Elle a pris la situation en mains. Nous étions autour d'elle pour l'assister. Nous l'avons aidée à déplacer M. Péladeau et elle a fait les manœuvres de respiration artificielle afin de secourir son patron.

Le cœur s'est remis à battre, mais Pierre Péladeau n'a jamais repris connaissance. Dans mon for intérieur, je savais qu'il ne s'en remettrait jamais.

Je l'ai accompagné à l'hôpital, mais, encore là, ce ne fut pas aussi rapide qu'on l'aurait souhaité. Bien que les ambulanciers aient rassuré tous ceux qui étaient sur place quant aux premiers soins prodigués, chaque minute qui s'écoulait était précieuse pour sauver le célèbre patient. La civière n'entrait pas dans l'ascenseur et il a fallu la placer debout en diagonale. Pour ce faire, il fallait aussi maintenir solidement le malade pour qu'il bouge le moins possible.

Je me souviens précisément de chaque moment qui a suivi l'arrivée de l'ambulance au service des urgences de l'Hôtel-Dieu : la remise par le personnel de l'hôpital d'une enveloppe contenant les effets personnels de Pierre Péladeau (montre, porte-monnaie, etc.) ; l'attente dans une petite pièce en compagnie de Sylvie Laplante, son ancienne adjointe personnelle, qui était accourue immédiatement ; la réaction d'Érik Péladeau face au drame ; et les premières remarques des médecins quant à ses chances de survie.

Au moment de l'accident, un journaliste de Radio-Canada était arrivé au bureau de Quebecor et, bien malgré lui, avait assisté à un événement autre que celui qu'il avait à son programme. Il était déjà dans le hall d'entrée lorsque M. Péladeau s'écroulait dans son bureau. Comme exclusivité, personne ne pouvait demander mieux. Mais la direction de Quebecor a refusé de lui confirmer la nouvelle. On ne voulait pas qu'elle se répande trop vite. Il fallait également attendre le diagnostic des médecins. Il y avait aussi d'autres problèmes importants qui se posaient et qui étaient d'un tout autre ordre que le facteur humain, c'est-à-dire la gestion de l'information financière. On aura compris que, parce que les actions de Quebecor étaient négociées en Bourse, il fallait gérer l'information de manière à respecter la loi, mais aussi à éviter une baisse spectaculaire du cours de l'action.

J'étais parfaitement au courant que, depuis quelque temps, M. Péladeau s'occupait de signer des documents juridiques, comme son testament, une procuration en cas d'accident, un mandat d'inaptitude, bref, tout ce qu'un homme d'affaires qui gère un empire tel que le sien et convoité par un nombre relativement considérable de successeurs potentiels devrait tenir à jour. On aurait dit que, pour lui, le fait de repousser continuellement l'échéance de cet exercice fondamental était un gage de longévité. À force de dire qu'il était éternel, peut-être en était-il venu à le croire ?

M. Péladeau n'avait pas déterminé de façon définitive l'identité de celui qui prendrait la relève à court, à moyen ou même à long terme. Il y avait, bien entendu, une collection de vice-présidents au sein de l'entreprise pour assurer un intérim, mais, selon moi, si

M. Péladeau avait repris connaissance et avait été en état de prendre des décisions, il est fort probable que la suite des événements aurait été différente.

En premier lieu, M. Péladeau avait déjà avisé quelques-uns de ces vice-présidents qu'ils seraient licenciés ou mis à la retraite sous peu. Certains n'avaient déjà plus de secrétaire. Prévu au retour des vacances des fêtes, leur départ était une question de jours ou de mois, et les principaux intéressés étaient parfaitement au courant de ce qui les attendait.

De plus, M. Péladeau prenait des notes personnelles (aide-mémoire) depuis un certain temps dans le but de réviser son testament. À tout moment, il écrivait une petite note sur un bout de papier : « Je lègue cela ou tel montant à telle autre personne. » Je ne sais pas ce qu'il est advenu de ce classeur où mon patron gardait un nombre considérable de ces « petits papiers ». Seul le patron savait quel était le plan de match de l'« après Pierre Péladeau ». Le problème est qu'il le gardait dans sa tête et ne l'avait pas encore partagé avec personne au moment où il s'est évanoui, le 2 décembre 1997 en après-midi. Certains en connaissaient des bribes, mais personne ne peut affirmer avoir eu connaissance de l'ensemble des dernières volontés du grand patron de l'entreprise. Il envisageait de se retirer graduellement de la gestion de Quebecor et de permettre à la relève de se mettre en place pour assurer sa succession. Il comptait s'absenter et se consacrer à la rédaction de son autobiographie. De plus, même si son leadership avait été sérieusement remis en question par certains membres de son entourage au cours de l'année ayant précédé son départ prématuré, et en dépit de certaines crises provoquées visant à forcer sa retraite, Pierre Péladeau demeurait le seul maître à bord après Dieu. La plupart des géants du milieu des affaires craignaient encore Pierre Péladeau, même à soixante-douze ans et même si son physique, déjà peu imposant, subissait les affres du temps et se trouvait considérablement affaibli, surtout durant la dernière année. Même moi, qui l'avais côtoyé pratiquement tous les jours depuis que j'étais à son service, je n'en revenais pas de voir comment M. Péladeau en imposait autant, lui, un être si fragile physiquement.

Lorsqu'il était dans le coma, son emprise régnait encore. Mais ce fut de courte durée.

En quittant le service des urgences, ses enfants, qui avaient pris en charge la situation, m'ont clairement signifié que ma présence n'était plus requise à l'hôpital et que dorénavant ils géreraient seuls cette crise.

« Tu ne t'occupes plus de notre père, on s'en charge. » Dans ma grande naïveté, j'ai d'abord cru qu'il s'agissait d'une affaire que la famille voulait suivre personnellement, ce qui était tout à fait normal. Mais au fur et à mesure que les jours s'écoulaient, comme on ne me confiait plus de nouvelles responsabilités aux communications de Quebecor, j'ai compris que je serais probablement éloigné en permanence du siège social, une fois la nouvelle direction en place.

J'ai été particulièrement frappé par la réaction du personnel de direction immédiatement après l'hospitalisation de M. Péladeau ; si certains étaient abattus par la disparition du grand patron et priaient, en larmes, pour qu'il revienne, d'autres n'avaient aucune difficulté à tourner la page. Leur deuil était déjà fait, et on tenait pour acquis que le chef était parti pour de bon. Ce désistement se manifestait rapidement par plusieurs modifications des pratiques courantes de la gestion quotidienne, à divers paliers.

Un exemple, plus comique que dramatique, est celui d'un vice-président que je connaissais bien. On sait que Pierre Péladeau n'acceptait pas facilement les notes de frais de représentation. Ce vice-président et directeur de service apportait religieusement son lunch et mangeait toujours dans son bureau, et ce, depuis l'époque de mes débuts chez Quebecor. Durant les semaines qui ont suivi l'accident du 2 décembre, ce vice-président s'était mis soudainement à multiplier les sorties et les repas au restaurant, des frais qu'il mettait sur son compte de dépenses. Le roi n'était pas encore mort que l'on profitait de sa tirelire.

Il faut dire que, bien que l'entreprise fût une multinationale avec un imposant personnel, les comptes de dépenses avaient toujours été scrutés à la loupe par le fondateur, qui les réduisait au strict minimum. On ne posait pas aux vice-présidents, sur leur formulaire d'embauche, les questions suivantes : à quel club de golf voulez-vous adhérer ? Voulez-vous joindre le club Saint-Denis, le St. James, le Mount Stephen, etc. ? Chez Quebecor, il n'y avait pas de budget pour des loisirs de cet ordre. De toute façon, si l'on voulait joindre qui que ce soit dans la communauté, il fallait simplement mentionner le nom de « Monsieur P. » et c'était chose faite. Inutile d'emmener cette personne au restaurant pour la convaincre.

Les premiers rapports médicaux diffusés en conférence de presse avaient laissé planer l'espoir que M. Péladeau émergerait graduellement de son coma. Mais, si ces communiqués se voulaient rassurants pour ses admirateurs en général et pour les investisseurs en particulier, les personnes qui étaient à son chevet ne voyaient aucune amélioration. Il avait été privé d'oxygène pour une période que nous n'avons jamais pu déterminer, mais les dommages cérébraux qui en découlaient étaient irréversibles.

Le soir du 2 décembre, je devais donc accueillir les invités personnels de Pierre Péladeau à la soirée-concert, laquelle ne pouvait être annulée. Il était humainement impossible à ce moment-là de joindre tout le monde et de les avertir du changement de programme. Par ailleurs, plusieurs centaines de personnes étaient présentes parce qu'elles avaient acheté leur billet. Elles étaient là pour entendre l'orchestre. On avait dit simplement aux gens que M. Péladeau avait eu un petit malaise ; on ne voulait rien laisser filtrer sur la gravité de son état. Je me suis rendu à la Place des Arts pour distribuer une cinquantaine de billets en mentionnant simplement que « Monsieur P. » était retenu par ses « affaires ». Plusieurs personnes m'en ont reparlé plus tard, me disant que j'étais bien pâle en ce soir du 2 décembre et que j'avais l'air bien fatigué.

Plusieurs parmi les invités présents n'avaient pas écouté les nouvelles et n'étaient pas au courant de l'« accident ». Ils étaient au rendez-vous et demandaient à saluer Pierre Péladeau. Je me contentais de dire que mon patron était retenu ailleurs. C'était arrivé à quelques reprises, personne ne s'en formalisait. Mais je n'ai pas pu faire autrement que de dire la vérité à Jean-Marc Brunet, grand ami de Pierre Péladeau[3]. À lui seul, j'ai confié :

« Ça va mal. Je pense qu'on va le perdre ! »

---

3.   Jean-Marc Brunet est le fondateur des centres JMB Le Naturiste et chroniqueur au *Journal de Montréal*.

Discrètement, nous avons quitté tous les deux le hall de la Place des Arts pour nous diriger vers l'Hôtel-Dieu, au chevet de l'être que nous aimions et admirions par-dessus tout.

Comme il n'aimait pas sortir seul, M. Péladeau avait invité une de ses amies personnelles, Jacqueline Mallette, une Acadienne d'origine, à souper avec lui ce soir-là, après le travail, et à l'accompagner ensuite au concert.

Mme Mallette faisant partie des gens qui n'avaient pas écouté les nouvelles, elle se présenta donc au rendez-vous au bureau à 18 heures précises, très heureuse à l'idée de revoir son ami qui lui avait parlé dans la matinée pour confirmer leur rencontre. En la voyant, deux membres du personnel, proches de M. Péladeau, lui demandèrent ce qu'elle faisait là. Candidement et un peu étonnée de leur réaction, elle répondit : « Mais je viens voir Pierre. Il m'a donné rendez-vous ce matin. Il m'a dit que nous allions au concert ensemble ce soir. »

Il a fallu lui expliquer qu'il y avait des changements importants au programme, pour elle et pour les autres !

C'était cauchemardesque. Je savais pourtant qu'à tout moment ce genre d'événement risquait de se produire. J'avais vu M. Péladeau s'affaiblir au cours des derniers mois. Il aimait tellement son travail qu'il ne se résignait pas à « décrocher » définitivement pour profiter d'une retraite bien méritée. Mais il y pensait.

Beaucoup de personnes m'avaient conseillé de trouver un emploi ailleurs au cours de la dernière année passée chez Quebecor. Il semble que bien des gens voyaient déjà M. Péladeau parti, vieilli, fatigué et miné par les luttes internes pour la prise du pouvoir, alors que nous qui le côtoyions quotidiennement, bien que conscients de sa vulnérabilité physique, n'acceptions pas la possibilité qu'il quitte ses fonctions un jour ou l'autre. Malgré ses soixante-douze ans et ses problèmes de santé, il avait encore l'esprit plus alerte que bien des gens qui ont la moitié de son âge et qui ne subissent pas la pression qu'il subissait tous les jours.

Travailler pour Pierre Péladeau était un défi, non pas par rapport à lui, mais par rapport à nous-mêmes. Il fallait être en mesure de se surpasser continuellement, non seulement parce que c'était ce qu'il attendait de nous, mais surtout parce qu'à partir du moment où on s'engageait de quelque façon à « livrer la marchandise », il ne fallait pas traîner.

Dès le lendemain de l'accident, j'ai vécu une période difficile qui s'est prolongée jusqu'au départ pour les vacances des fêtes. Il était assez évident que la relève déjà en place me fermait les portes, et, graduellement, on m'a retiré mes dossiers.

Isabelle Péladeau, la fille aînée après Érik, m'a invité à collaborer à la rédaction de l'album-souvenir qu'elle a préparé et publié chez Publicor en janvier 1998 : *Hommage à un grand bâtisseur, PIERRE PÉLADEAU*. Ce fut ma dernière collaboration professionnelle avec la famille de Pierre Péladeau. Isabelle et moi sommes restés en contact durant deux ou trois ans après le décès de son père.

C'est le cœur gros que je suis parti du bureau le 22 décembre pour les vacances de Noël. La nouvelle direction de Quebecor avait demandé à tout le personnel d'oublier la tragédie de décembre et de profiter du congé des fêtes pour se reposer. Inutile de dire que le *party* de bureau des employés de Quebecor, prévu pour le 15 décembre, avait été annulé et l'échange des vœux réduit au minimum.

L'incertitude et l'inquiétude étaient palpables, et avec raison. Personne ne savait ce qui nous attendait ni ce qu'il adviendrait de la direction de l'entreprise. Mais nous étions tous certains d'une chose : de grands changements se préparaient pour le début de l'an 1998.

C'est par le truchement des médias que j'ai pris connaissance du communiqué émis par la célèbre clinique Mayo, à laquelle la famille et la direction de Quebecor avaient demandé un deuxième avis médical sur les chances de rétablissement de M. Péladeau. Dans l'article de *La Presse*, on mentionnait que les médecins de l'Hôtel-Dieu n'étaient pas au courant du fait qu'une telle démarche avait été entreprise par la famille. Ils s'en disaient surpris, comme si l'on mettait en question leur compétence. Selon cette seconde expertise, le malade n'avait aucune chance de reprendre conscience. Par conséquent, la direction de Quebecor annonçait officiellement la composition du nouveau conseil d'administration. Le lendemain, jour de Noël, en regardant la télévision, j'apprenais que le décès de Pierre Péladeau avait été officiellement confirmé à 21 h 45 le 24 décembre 1997. C'était aussi une de ses volontés dites publiquement : il ne voulait pas être un poids pour personne s'il lui arrivait un accident. Il refusait totalement d'être dépendant. Pour lui, c'était inconcevable. Il avait été fort impressionné par sa mère, Elmire, qui avait pleuré pour la première fois de sa vie parce qu'elle était incapable de s'occuper d'elle-même, à quatre-vingt-trois ans !

Ce furent les fêtes les plus tristes de toute ma vie. Je vivais mon deuil dans mon coin avec quelques amis.

J'appréhendais le retour au travail du 6 janvier, et, comme je m'y attendais, on m'a immédiatement demandé de me rendre au bureau de Raymond Lemay, ancien premier vice-président, qui me dit sans détour :

« Tu as fait un bon travail, mais on n'a plus besoin de tes services. »

J'ai rencontré Jean Neveu, nouveau président et chef de la direction de Quebecor, afin de lui faire part de mon intérêt pour un autre poste que je pourrais occuper dans l'empire Quebecor. Après tout, avec tant d'années passées dans le feu de l'action auprès du président, je savais que je pouvais être encore utile à bien des égards. On m'a répondu que l'on étudierait la question, mais qu'il valait mieux ne pas compter là-dessus.

Ce fut très difficile à accepter, mais je n'en voulais à personne. C'est un processus normal dans toute entreprise que de nommer d'autres adjoints lorsque les membres de la direction changent. Je comprenais parfaitement que Pierre-Karl Péladeau veuille s'entourer de gens nouveaux et avec lesquels il se sentirait à l'aise. Ce n'était pas une mince tâche que de reprendre le collier là où son père l'avait laissé aussi subitement, et dans une importante période de transition en plus. Il aurait à supporter continuellement les comparaisons entre son père et lui.

On m'a offert une indemnité de départ et les services de la compagnie Murray Axmith pour m'aider à me réorienter vers un autre domaine. Je me souviens de la principale recommandation faite par la conseillère dès notre première rencontre lorsqu'elle a vu d'où je venais et avec qui j'avais travaillé :

« N'en parle plus. Pour refaire ta vie, il faut en éliminer les sept dernières années. Ce chapitre est terminé et il faut maintenant tourner la page. Essaie d'oublier que tu as été l'adjoint de Pierre Péladeau. Ses victoires en affaires vont te nuire parce que tu étais son allié, son soldat. »

Chez Quebecor, des cadres m'avaient souvent conseillé de quitter mes fonctions avant que M. Péladeau ne meure. « Après, tu auras beaucoup de difficulté à te différencier de lui sur le plan professionnel », m'avait dit André Gourd, l'un des vice-présidents, qui avait quitté l'entreprise un an avant le décès de son patron.

Effectivement, lors de plusieurs entrevues que j'ai obtenues, au début de 1998, dans de grandes entreprises du Québec avec lesquelles j'avais collaboré à titre d'adjoint de Pierre Péladeau, on tentait de me faire raconter des anecdotes survenues de son vivant. La situation se répétait invariablement. On ne s'intéressait pas à moi, mais à mon ancien patron, et j'ai entendu toutes sortes de commentaires à son sujet.

Par exemple, au cours d'une entrevue chez Molson, la personne qui m'a reçu m'a demandé :

« Comment avez-vous fait pour travailler avec un être aussi désagréable que Pierre Péladeau ? »

J'étais renversé par la question. Je ne connaissais pas ce Pierre Péladeau-là. Je connaissais un être exigeant, mais je savais aussi qu'il était humain, généreux et un travailleur acharné.

J'ai découvert finalement que les gens ordinaires aimaient Pierre Péladeau, mais, dans le milieu des affaires, nombreux étaient ceux qui, s'ils ne le détestaient pas, en avaient peur.

Je suis d'avis, après être passé par l'école de Pierre Péladeau, que si l'on se tient debout, on n'a peur de personne. Mais il y a des gens qui *n'agissent que* par la peur.

Pierre Péladeau jouait *serré* en affaires. Il était dur, mais juste. C'était un vif et habile compétiteur. Il a toujours dit qu'il jouait pour gagner.

Je me suis rendu compte rapidement que mon expérience avec ce *personnage* n'était pas une valeur ajoutée à mon curriculum vitæ, mais un poids à supporter. J'étais comme un prisonnier des dernières victoires de Pierre Péladeau.

En affaires, il n'y a pas vraiment de place pour l'humanisme. Pierre Péladeau était toutefois, selon moi, l'un des rares magnats à être très coriace, mais également humain. Il pouvait mettre ses occupations complètement de côté pour aller aider quelqu'un qui l'avait appelé à son secours.

Je me souviens aussi de mon départ de chez Quebecor. C'était la semaine du 5 janvier 1998, qui a coïncidé avec le début de la crise du verglas. Il y avait une panne générale d'électricité, et il faisait froid. Tout était sombre. J'ai pensé que la fin du monde était arrivée.

Chapitre 2

Première rencontre avec Pierre Péladeau

J'ai entendu parler de Pierre Péladeau pour la première fois en 1977 par Normand Girard, correspondant du *Journal de Montréal* à Québec. À cette époque, j'étais le plus jeune journaliste affecté à l'Assemblée nationale. J'avais vingt ans à peine et j'arrivais, fraî-chement débarqué, de ma Gaspésie natale [1]. Il y avait beaucoup de grands médias à Québec. Comme nous étions au lendemain de l'élection d'un gouvernement nationaliste, j'étais non seulement avec la crème de la crème des journalistes de la province, mais aussi avec ceux du reste du Canada qui venaient surveiller l'ennemi public numéro un : le Parti québécois.

J'étais au service de la station CHAU-TV de Carleton, qui des-sert la péninsule gaspésienne dans l'est du Québec. J'étais égale-ment correspondant pour les stations de radio CKRS Jonquière, CHLC Hauterive, CJMC Sainte-Anne-des-Monts, ainsi que pour les hebdomadaires du groupe Roland Bellavance de Rimouski, mais je le fus brièvement. Sur la colline parlementaire, je côtoyais Jean-François Lépine, Michel Lacombe, Denis Trudeau, Bernard Saint-Laurent, Gérald Leblanc, Daniel L'Heureux, Bernard Descoteaux, Gilles Lesage, Lysiane Gagnon et occasionnellement Jacques Guay. Ce dernier fut le premier correspondant à l'Assemblée nationale du *Journal de Montréal* au cours des années 1960, ayant travaillé aupa-ravant au journal *Le Soleil*. Il est devenu l'éminent professeur en journalisme que l'on sait, à l'université Laval.

---

1. Je suis originaire de Saint-Siméon-de-Bonaventure.

Comme René Lévesque était originaire de la même région que moi, avec Gérard-D. Lévesque, j'étais d'autant plus heureux de suivre leur travail de près, impressionné de partager le terrain avec d'aussi grands joueurs. Je ne connaissais pas très bien *Le Journal de Montréal* pas plus que le personnage qu'était Pierre Péladeau. Il n'avait pas vraiment fait parler de lui en région gaspésienne lorsqu'il avait fondé son «plus grand quotidien français d'Amérique» pendant la grève de *La Presse* de Montréal. La Gaspésie était le territoire du journal *Le Soleil* et *Le Journal de Montréal* ne se rendait pas au-delà de la ville de Québec. Il a fallu attendre la création du *Journal de Québec* en 1967 pour que les Gaspésiens soient sensibilisés aux journaux de Pierre Péladeau. Les journaux de Quebecor sont toutefois toujours restés une affaire urbaine principalement centralisée à Montréal et à Québec. En 1977, Pierre Péladeau était toujours considéré comme un personnage douteux qui manquait de sérieux et de respect envers la société. *Le Journal de Montréal* était une feuille de chou vouée à l'échec selon les soi-disant experts.

Normand Girard me parlait souvent de son patron et j'étais curieux de découvrir ce personnage. Girard, de son côté, était considéré comme l'éminence grise de la galerie de la presse. On disait qu'il avait les meilleurs tuyaux, les meilleures exclusivités, les meilleures entrées. Il était également isolé, toujours un peu à l'écart dans son vaste bureau de *La Tribune parlementaire* alors installée dans l'édifice du Parlement. On lui avait attribué le bureau le plus vaste, celui qui était en coin, en raison de son ancienneté. Il était le doyen. Je me disais que c'était sans doute pour sauvegarder ses contacts qu'il tenait toujours sa porte fermée.

J'étais aussi renversé de voir les succès que connaissait *Le Journal de Montréal*, malgré le manque de respect de la part des autres journalistes. En 1978, le tirage du *Journal de Montréal* était de 260 000 exemplaires en comparaison de 142 000 pour *La Presse*. *Le Soleil* tirait à 112 000, *Le Journal de Québec* à 107 000 et *Le Devoir* à 50 000 exemplaires. Je me demandais bien comment Pierre Péladeau était arrivé à imposer son journal. Girard me parlait continuellement du dynamisme du grand patron, de sa manière d'agir résolue en affaires et exigeante avec son entourage. Il me disait aussi que les gens le détestaient parce qu'ils étaient simplement jaloux de son succès.

Dans ce temps-là, le courrier électronique n'existait pas. Alors on écrivait des lettres de la bonne façon traditionnelle : machine à écrire, papier et poste. J'ai adressé quelques mots à M. Péladeau pour lui dire que j'étais un jeune journaliste et que j'admirais son travail. Et il m'a répondu, non pas pour m'offrir un travail, mais en deux lignes, pour me remercier simplement. De toute façon, les médias écrits ne m'intéressaient pas vraiment. Je lui écrivais, inspiré par la curiosité que Girard alimentait. La télévision était ma passion, de même que l'environnement dans lequel cette industrie évoluait. Le journalisme écrit est un travail de solitaire, tandis qu'avec la télévision toute une équipe nous entoure, du cameraman à l'éclairagiste en passant par le réalisateur, etc. Si le journalisme écrit est un outil de communication très puissant à cause de la prolongation de la vie d'un reportage après sa publication, la télévision est un média beaucoup plus excitant et glorifiant. Elle rejoint les gens dans l'intimité de leur salon et son rayonnement est comparable à celui de l'industrie du cinéma.

J'étais plus impressionné par René Lévesque que par Pierre Péladeau. D'ailleurs, René Lévesque m'avait en quelque sorte pris en affection. Je pensais que c'était à cause de mes origines gaspésiennes, mais je suis convaincu aujourd'hui que c'était bien plus à cause de ma cousine, Geneviève Bujold, qu'il rencontrait lorsqu'elle était de passage à Montréal. Il me demandait toujours si j'en avais des nouvelles, même si je lui avais dit que je n'étais pas très souvent en contact avec elle ; elle avait grandi à Montréal, et moi en Gaspésie. Il me racontait parfois les rencontres amicales qu'il avait eues avec elle et combien il admirait son talent.

Je ne le savais pas encore, mais, plusieurs années plus tard, j'allais constater combien le Premier ministre avait des points en commun avec Pierre Péladeau. Tous les deux étaient de grands communicateurs au style direct et proche de leur audience. Il faut avoir vu René Lévesque et Pierre Péladeau présenter un discours pour constater la grande ressemblance. D'ailleurs, Pierre Péladeau m'a plus tard confié qu'il avait appris à donner des conférences grâce aux conseils de René Lévesque. Un jour, alors que M. Péladeau s'adressait, sans notes, à un petit auditoire de gens d'affaires de Montréal, Lévesque, alors présent, est venu le féliciter et lui demander une copie de son texte.

« Je n'en ai pas. J'y suis allé de mon inspiration du moment. »

Lévesque a répondu : « T'as été chanceux. Un jour, tu vas te figer devant l'assistance et tu vas avoir l'air idiot. Tu devrais toujours préparer tes conférences et avoir un texte écrit. C'est la seule façon de présenter un discours et d'être certain de ne pas dire de niaiseries. »

Pierre Péladeau considérait que Lévesque lui avait été d'une aide précieuse ce jour-là ; il suivit son conseil pendant plus de trente ans, jusqu'à sa dernière conférence, quelques semaines avant sa mort.

Pierre Péladeau et René Lévesque étaient tous les deux partis de loin pour finalement rallier des milliers de gens à leur cause respective, chacun dans son secteur, l'un en politique et l'autre en journalisme. Ils avaient aussi tous les deux à cœur le Québec, la prise en main de son économie par les Québécois, le développement et la protection du patrimoine de son peuple.

M. Péladeau admirait René Lévesque, qu'il avait d'ailleurs embauché au *Journal de Montréal* quelques années avant les élections de 1976. Lévesque était sans ressource et sans travail et M. Péladeau n'avait pas hésité un seul instant à lui offrir un poste de chroniqueur dans son quotidien. Dès lors, le tirage avait monté en flèche. M. Péladeau considérait comme ses deux meilleurs coups au *Journal de Montréal* l'embauche de Jacques Beauchamp aux sports dans les premières années et, plus tard, celle de René Lévesque. Dans les deux cas, ces embauches avaient permis au journal d'augmenter considérablement son tirage et d'accroître sa crédibilité, ce qui plaçait le quotidien devant les autres. Il disait que René Lévesque était le politicien le plus important, le plus brillant qu'il connaissait, celui qu'il admirait le plus pour son intégrité et pour sa combativité. Il éprouvait un grand respect pour lui.

Pierre Péladeau me disait que Lévesque n'avait jamais voulu s'enrichir grâce à ses positions politiques.

« C'était honorable, mais triste, disait M. Péladeau, car René Lévesque, alors qu'il a été l'un des personnages les plus marquants de l'histoire du Québec, au même titre que Maurice Richard ou Félix Leclerc, est mort sans le sou. »

Pierre Péladeau était favorable au nationalisme québécois, mais à un nationalisme solide sur le plan des finances, pour les personnes comme pour la société dans son ensemble. Il disait souvent dans ses conférences qu'il l'avait expliqué en long et en large à Lévesque, sur le bord de sa piscine à Sainte-Adèle.

« Ton indépendance du Québec, elle ne tiendra pas et elle n'ira nulle part si tu ne t'assures pas des assises solides sur le plan économique. Un Québec indépendant sans les finances serait une république de bananes. »

Selon M. Péladeau, Lévesque comprenait, mais il n'arrivait pas à maîtriser et à canaliser les ardeurs passionnées de ses collègues du Parti québécois. Les événements entourant la fin de René Lévesque donnent un peu raison à cette théorie. Mais René Lévesque est mort trop tôt. Autrement, aurait-il eu l'occasion de changer sa vie et de participer encore à celle de ses concitoyens ?

Par ailleurs, M. Péladeau avait déjà été pressenti pour se présenter en politique à titre de candidat, tellement il affichait son penchant nationaliste. Mais il préférait une participation plus active et plus directe à l'économie en restant dans le milieu des affaires et en créant des emplois. C'était son *modus vivendi*. De plus, le moment n'était pas approprié, car Quebecor n'en était qu'à ses débuts dans les années 1976, et la présence quotidienne du fondateur à la barre était essentielle. Si on lui avait proposé la même offre durant les années 1990, il aurait accepté, car il aimait rencontrer les gens et les pousser à s'améliorer. Il m'a fourni la preuve concrète de cet engouement politique au moment où je l'accompagnais au premier Sommet économique de Québec. M. Péladeau en était revenu frustré et profondément triste de constater que le Premier ministre Lucien Bouchard ne lui offrait aucun poste précis à la direction des différents comités de relance économique du Québec. J'étais à ses côtés et j'ai senti que M. Péladeau avait la mort dans l'âme de se voir mis de côté alors que ses collègues comme Jean Coutu, des Pharmacies Jean Coutu, et André Bérard, de la Banque nationale, avaient obtenu des présidences de comité. Je n'ai jamais vu Pierre Péladeau triste comme en ce jour-là. Il se sentait rejeté par son

Premier ministre et indirectement par le peuple québécois qu'il a défendu durant toute sa vie.

À la mort de René Lévesque en 1988, j'ai pris contact avec Pierre Péladeau, car j'étais au courant de son affection pour le disparu, afin de lui demander sa contribution à la mise en place d'une fondation. Il m'avait reçu et je lui avais expliqué que le but de cet organisme était d'acquérir la maison où avait grandi René Lévesque à New Carlisle et d'en faire un musée. Les journaux en avaient parlé, à l'époque. Il avait été tenté, mais il aurait préféré que la future fondation René-Lévesque ait aussi pignon sur rue à Montréal, ou, à tout le moins, plus près de lui. Finalement, il a décliné l'invitation en disant qu'il valait mieux confier le mandat à quelqu'un d'autre, par exemple à un ancien député du parti ou encore à Corinne Côté-Lévesque, veuve de René Lévesque.

En 1979, Bona Arsenault, ancien député provincial et ministre fédéral, aussi originaire de la Gaspésie et avec qui je m'étais lié d'amitié, me suggéra de poursuivre ma carrière de journaliste à Radio-Canada. Selon lui, j'avais tout le potentiel voulu pour me joindre un jour au réseau français à Montréal, mais je devais d'abord faire mes classes en région. Selon Arsenault, la région idéale était Moncton, au Nouveau-Brunswick. En fait, il avait des contacts personnels auprès de la direction de Radio-Canada à Moncton.

Aussi éloignée que cette ville puisse paraître géographiquement, c'est en pleine Acadie que j'ai découvert un peu plus en profondeur le personnage Pierre Péladeau. J'ai accepté la proposition de me joindre à Radio-Canada Moncton à titre d'animateur d'émissions sportives à la télévision et à la radio. J'y ai fait d'ailleurs la connaissance intéressante de Jean Perron, premier entraîneur de hockey canadien à appliquer une méthode d'entraînement scientifique pour les joueurs qui se distinguait de la méthode guidée uniquement par l'instinct qui était toujours en vigueur sur toutes les patinoires. Perron était en poste à l'université de Moncton durant les années 1980. Six ans plus tard, il mènera le Canadien à la coupe Stanley.

Mon passage à Radio-Canada Moncton devait initialement servir de tremplin à mon entrée sur le territoire montréalais. Je rêvais de me joindre à Radio-Canada Montréal, mais je constatai rapidement que ce n'était pas dans les intentions de la direction locale, qui voulait bâtir une station régionale forte et à long terme avec des figures acadiennes. Je remplis mon contrat d'un an à Moncton, à la fin duquel j'hésitais à en signer un deuxième. Je décidai de prendre un peu de temps pour réfléchir à mon avenir et je commençai alors à publier quelques articles dans les journaux quotidiens du Nouveau-Brunswick, en français et en anglais. Le Nouveau-Brunswick était une province d'environ 700 000 habitants en 1980. On y comptait trois quotidiens anglophones et un quotidien francophone, *L'Évangéline* [2], fondé au début du siècle à Moncton. Mes articles furent remarqués par la direction de *L'Évangéline* et, quelque temps plus tard, on m'offrait un poste qui me ramenait par ricochet dans l'univers de Pierre Péladeau.

Au départ, je n'étais pas vraiment convaincu de me plaire dans la presse écrite, car j'aimais davantage les médias électroniques. Dans mon esprit, c'était pratiquement de la magie que de voir son image entrer dans les foyers pour communiquer une nouvelle. Le journal faisait figure de parent pauvre à côté du pouvoir de l'électronique, mais je me suis souvenu de mon ancien collègue Normand Girard qui, grâce à son travail dans l'écrit, réussissait à influencer l'opinion des lecteurs sur la politique du Québec. J'ai accepté d'emprunter ce virage dans une autre direction. La presse écrite fut une véritable découverte, presque un coup de foudre. *L'Évangéline* était le seul quotidien francophone publié dans l'est du Canada dans un milieu à majorité anglophone, et ce, depuis 95 ans.

Si j'avais découvert l'existence de Pierre Péladeau par Normand Girard à Québec, j'allais en connaître encore plus du personnage lors de mon passage à *L'Évangéline* à Moncton, grâce à Éric Goguen, alors chef de pupitre. Il avait été l'un des premiers rédacteurs en chef du *Journal de Montréal* à l'époque de sa fondation en 1964. Il s'était retrouvé à Moncton par choix et un peu par obligation. Comme il approchait de la retraite, il voulait vivre dans sa région d'origine et y finir tranquillement sa carrière active. À Montréal, il avait vécu l'alcoolisme et le rythme parfois épuisant de ceux

---

2. Ce journal, qui fermera ses portes définitivement en 1982, aura été la voix acadienne pendant plus de 95 ans.

qui étaient aux côtés de Pierre Péladeau. Il avait décidé d'abandonner ce rythme et de s'installer en Acadie. Plus tard, lorsque Goguen est décédé, soit vers la fin des années 1990, Pierre Péladeau me confia qu'il avait été un grand journaliste et un travailleur infatigable.

Durant les années 1980, Éric Goguen me parlait très souvent de son expérience avec Pierre Péladeau. En fait, il s'en servait souvent comme exemple pour former de jeunes journalistes comme moi. Je peux dire que c'est à la faveur de son encadrement que j'ai vraiment acquis un engouement pour la presse écrite. Je n'avais jamais compris auparavant combien un article écrit pouvait susciter autant de réactions et avoir autant d'influence que le petit écran.

La télévision est un média jeune qui a une puissance et une influence considérables. On n'a qu'à penser à l'effet CNN sur le public dès que la chaîne braque ses caméras sur un événement en direct. Transmise selon ce mode, cette information – on le sait – est brute, non traitée et non analysée. Mais une fois que l'on a vu un reportage au bulletin de nouvelles, si l'on se souvient des grands titres, on en a oublié le contenu le jour suivant. La vedette d'un reportage de télévision, c'est l'image. Dans la presse écrite, la vedette du reportage est le contenu de la nouvelle que l'on rapporte. On peut aussi conserver un article de journal et s'y référer à n'importe quel moment après sa publication. Il ne disparaîtra jamais. Comme on dit, « les écrits restent ». Cette pérennité ne touche en rien la qualité de l'information en tant que telle, car la rigueur est de mise à l'électronique comme à l'écrit.

Dès mon entrée à *L'Évangéline*, Goguen, ancien employé de M. Péladeau, me conseillait sur le style de mes reportages. Il me disait que j'avais le rythme des gars du *Journal de Montréal*. Il insistait fortement pour que je me consacre à l'écrit, prétextant que je m'y plairais davantage qu'à l'écran.

Nous avons eu de longues conversations pour comparer les différences de style d'un quotidien à l'autre, ce qui en faisait le tirage et le succès. C'est dans ces moments qu'il me parlait le plus de Pierre Péladeau et de ce qu'il avait fait du *Journal de Montréal*. Longtemps considéré comme un « journal jaune » et sans valeur, le bébé de M. Péladeau est parvenu, au fil des ans, à faire sa place et à établir solidement ses assises tant chez les lecteurs que dans le milieu de l'édition et des affaires. Lorsque M. Péladeau a fondé le quotidien au début des années 1960, il reproduisait ni plus ni moins son *Journal de Rosemont* avec plus de pages et une place importante pour les artistes. L'objectif principal était d'ailleurs d'occuper le temps de presse de son imprimerie. Un journal quotidien, c'est l'équivalent de cinq hebdomadaires dans une même semaine. Bien sûr, M. Péladeau avait vu, avec *Le Journal de Montréal*, une occasion d'amener un nouveau joueur au Québec et il a misé le tout pour le tout, pour gagner, comme il l'a toujours fait. Mais, à la base, *Le Journal de Montréal* a commencé simplement, une édition à la fois et avec l'ambition principale de rentabiliser ses équipements déjà en place pour ses hebdomadaires.

Pierre Péladeau a toujours considéré un journal comme un produit simple et facile à lire. Il publiait un journal comme s'il avait été assis sur le coin d'une table et qu'il avait parlé aux gens dans leur cuisine. Pour lui, un journal devait tenir compte du lecteur et être lu, surtout. M. Péladeau ne voulait pas faire un journal pour se faire plaisir ni un journal qui paraisse bien. Il voulait un journal qui se vende. Le tirage élevé qu'il a réussi à atteindre témoigne de la justesse de son jugement.

Toutes ces comparaisons et ces discussions tenues à Moncton avec Goguen avaient contribué à susciter ma curiosité et mon intérêt envers Pierre Péladeau. J'ai commencé à lui envoyer des copies de mes meilleurs articles, en lui adressant toujours un message personnel. Je lui redisais combien j'admirais son travail et il me répondait fidèlement en me remerciant de ma correspondance.

Je savais qu'il avait voulu se porter acquéreur de *L'Évangéline* au début des années 1980. Goguen m'a raconté que M. Péladeau s'était présenté au journal sans rendez-vous. Il est arrivé à la réception et a demandé à voir le directeur. Évidemment, lorsque M. Péladeau arrivait quelque part, avec ou sans rendez-vous, on le recevait. Il se serait adressé au directeur en disant simplement :

« J'aime ça, votre journal. Je voudrais voir vos livres. »

Un peu abasourdi, le directeur a demandé : « Mais pourquoi je vous montrerais nos livres ? »

« Parce que je veux l'acheter », aurait répondu aussi vite M. Péladeau.

Ils ont discuté quelque temps, mais le directeur n'en démordait pas : *L'Évangéline* n'était pas à vendre, surtout pas à un personnage coloré comme M. Péladeau et, pis encore, à un Québécois.

Lorsque je repense à cette anecdote aujourd'hui, je suis persuadé que M. Péladeau a pu se présenter en disant qu'il voulait acheter le journal et qu'il désirait voir les livres, mais je doute fort qu'il s'agissait d'une visite fortuite et non préméditée. J'aurais tendance à croire que son ancien employé Goguen, toujours fidèle à son patron des premières heures, lui avait demandé de venir faire un tour à Moncton et de regarder du côté de *L'Évangéline*. M. Péladeau n'a jamais refusé d'analyser une bonne affaire. N'avait-il pas acheté son premier journal de la même façon ? Raymonde Chopin, qui allait devenir son épouse, lui avait dit que *Le Journal de Rosemont* serait peut-être à vendre. Mais elle avait également dit au propriétaire de l'hebdomadaire, qui, soit dit en passant, n'était plus publié depuis trois mois, qu'il y aurait peut-être un acheteur.

Que tous les détails relatés par Goguen pour l'histoire de *L'Évangéline* et pour M. Péladeau soient vrais ou non, cette éventualité n'empêche pas de constater comment était M. Péladeau lorsqu'il voulait quelque chose. Il avait un don pour flairer les bonnes affaires et agissait selon ses intuitions. Au moment où il s'était présenté pour acheter *L'Évangéline*, le quotidien acadien avait des difficultés financières, mais il était en activité. Un quotidien actif peut facilement être réorienté et l'administration rationalisée. *L'Évangéline* possédait ses propres presses et un édifice difficile à administrer. Une acquisition par Pierre Péladeau aurait permis à *L'Évangéline* d'avoir accès à la machine efficace qu'était Quebecor. En 1982, lorsqu'il dut fermer ses portes après 95 ans de publication, sa disparition aussi subite que surprenante fit la manchette des quotidiens anglophones du Nouveau-Brunswick. C'était un peu l'échec du peuple acadien à maintenir en vie son journal quotidien.

Les revenus publicitaires de *L'Évangéline* avaient baissé de façon importante avec la fermeture de nombreuses entreprises, victimes de la récession. Déjà en difficulté financière, le quotidien acadien fut achevé par un conflit de travail. Les négociations entre le syndicat des employés et les patrons ne menaient nulle part, et, au bout de deux semaines, on ferma les portes. Cette fermeture, qui devait être temporaire, fut définitive.

C'était une fin crève-cœur et une perte pour le milieu francophone de cette région du pays. J'ai eu l'idée de communiquer avec Pierre Péladeau pour le sensibiliser à la situation et pour voir s'il ne nous donnerait pas un coup de main pour repartir le journal. Éric Goguen trouvait que c'était une bonne idée. Il me dit : « Si tu ne le fais pas, je le fais. »

Nous avons alors élaboré un plan de relance. Nous préconisions de redémarrer *L'Évangéline* et d'y insuffler une culture résolue en commercialisation, une culture à la Pierre Péladeau. Nous avons rédigé notre plan, puis nous l'avons fait parvenir en toute urgence par un service de messagerie au sauveur potentiel de la rue Saint-Jacques, à Montréal.

Malheureusement, ce qui nous semblait la solution a échoué. M. Péladeau nous a répondu qu'il n'était plus intéressé, et il s'est contenté de nous souhaiter bonne chance pour notre projet. A-t-il refusé de reprendre le journal parce qu'on lui avait déjà dit non une fois ? C'est ce que j'ai pensé sur le moment. Mais, avec le recul, je crois plutôt qu'il avait fait ses recherches et conclu que ce n'était plus une bonne affaire. Le marché des journaux était aussi en mouvance et le rythme des années 1970 n'était plus le même en 1982.

Le journal acadien devait rouvrir par la suite grâce à des commanditaires et à des subventions des différents paliers de gouvernement, mais il n'a pas tenu longtemps. D'abord relancé sous le nom *Le Matin* et dirigé par l'Acadien Charles D'Amours, le quotidien n'a pas survécu et l'ancien directeur du *Nouvelliste* de Trois-Rivières n'a pas gagné son pari. *Le Matin* s'est installé dans les anciens entrepôts d'Eaton à Moncton et il a connu le même sort que les magasins de la chaîne. C'est finalement un petit quotidien, *L'Acadie nouvelle*, installé à Caraquet, qui s'est imposé, mais sans grand financement. Il paraît encore aujourd'hui.

L'Acadie nouvelle est un peu à l'image des projets de Pierre Péladeau. Malgré le manque de moyens au départ pour ses projets, celui-ci réussit à s'imposer en étant près des gens et de son marché. D'ailleurs, je me souviens d'une remarque du promoteur du *Matin* qui m'avait dit vouloir faire du journal acadien un véritable outil de révolution culturelle en Acadie. M. Péladeau avait déjà entendu le même discours à Montréal alors que l'élite du Québec disait que ses journaux n'étaient pas de très grande classe. Il avait répondu à ses détracteurs que l'élite aimait faire un journal dans les salons de société pour les bien-pensants. Lui, il préférait faire un journal pour le peuple. *L'Acadie nouvelle* comme *Le Journal de Montréal* et *Le Journal de Québec* témoignent de ce principe « à la Péladeau ».

« Si la télé rejoint les gens dans leur salon, un journal doit rejoindre les gens à leur table de cuisine. »

Encore une fois, je me trouvais à la croisée des chemins. Devais-je continuer dans le journalisme ? Devais-je changer de vocation ? Devais-je aller vivre ailleurs au pays ?

En 1983, le milieu des communications et des médias en particulier commençait à souffrir de restrictions de budget et de personnel. On n'embauchait presque plus. Il fallait travailler comme pigiste ou alors se résigner à des conditions que je trouvais inacceptables.

Finalement, l'un des trois copropriétaires de *L'Évangéline*, la Fédération des caisses populaires acadiennes, me confia la tâche de relancer les relations publiques et la commercialisation de son réseau de quatre-vingt-huit caisses populaires. J'ai continué d'écrire quelques reportages en langue anglaise, mais ce fut la rencontre avec Brian Mulroney qui me rapprocha encore un peu plus de Pierre Péladeau.

Chapitre 3

La porte d'entrée par Ottawa

J'ai rencontré Brian Mulroney pour la première fois, en compagnie de son épouse Mila, à l'été 1983, au moment où il venait de remporter la victoire au congrès à la direction du Parti conservateur du Canada. Il briguerait éventuellement les suffrages dans le comté de Central Nova en Nouvelle-Écosse. Nous avons rapidement établi de bons contacts professionnels. J'aimais son dynamisme et ses idées innovatrices.

Je pris l'habitude de lui envoyer des coupures de presse et des copies des articles que j'écrivais dans diverses publications du Nouveau-Brunswick.

Situation qui ne serait pas acceptée dans les grands centres, j'étais directeur des relations publiques pour la Fédération des Caisses populaires acadiennes et je continuais à exercer le métier de journaliste occasionnellement. En région, dans des villes à moyenne ou à faible population, le chevauchement entre le journalisme et les relations publiques est accepté.

Brian Mulroney et Pierre Péladeau se ressemblent étrangement tant pour ce qui est du cheminement de carrière que sur le plan de la personnalité. Selon moi, les deux personnages ont tellement de points en commun que l'on pourrait parfois penser qu'ils ont grandi ensemble. Leur histoire suit le même itinéraire.

Pierre Péladeau a fondé *Le Journal de Montréal* le 15 juin 1964. L'arrivée à Montréal de Brian Mulroney comme avocat se situe à peu près au même moment, au printemps 1964. Jeune diplômé en droit de l'université Laval, Brian Mulroney avait accepté de venir rencontrer les partenaires de la prestigieuse firme d'avocats Howard, Cate, Ogilvy. Son ami Bernard Roy, également jeune diplômé de l'université Laval, le lui avait fortement recommandé. Brian Mulroney acceptera l'offre d'emploi de la firme montréalaise, mais, comme Pierre Péladeau auparavant à son premier essai, M. Mulroney échouera à son examen initial au Barreau, qu'il devra reprendre une seconde fois.

La mort de leur père respectif touchera également de façon marquante Pierre Péladeau et Brian Mulroney. Dans le cas de M. Péladeau, voir son père Henri Péladeau disparaître dans l'échec financier fut un fait marquant qui le suivit toute sa vie et influença son besoin de reconnaissance du milieu des affaires. La mort de Ben Mulroney attrista au plus haut point son fils Brian, qui attribua d'ailleurs à cet événement son échec au Barreau.

Pierre Péladeau aimait lire les journaux et les magazines. Il fallait le voir lorsqu'il était à son bureau ou en visite quelque part, continuellement à l'affût des publications à sa portée. Souvent il dérobait le journal au restaurant ou dans la salle d'attente pour le lire dans la voiture. M. Péladeau voulait tout savoir et il lisait beaucoup. Brian Mulroney a la même passion pour les journaux, et il aime être au courant de tout ce qui s'écrit tant au pays qu'à l'étranger.

Brian Mulroney fut l'avocat du *Journal de Montréal* lors des premières négociations des conventions collectives. Mais il n'est pas arrivé chez Quebecor parce qu'il côtoyait M. Péladeau ou était son ami. Au départ, la collaboration entre les deux hommes fut professionnelle. À Montréal, le jeune Mulroney devenait un spécialiste en négociation de conventions collectives pour les journaux en général, dont *La Presse*. Si M. Mulroney eut un mentor, ce fut Paul Desmarais, non Pierre Péladeau.

Paul Desmarais apprécia le caractère du jeune avocat montréalais dès leur première rencontre et il l'invita souvent à sa résidence. M. Desmarais confia aussi à M. Mulroney plusieurs mandats en dehors du secteur des journaux, dont celui du conflit des Autobus Voyageur en 1971. La stratégie de négociation de M. Mulroney était simple et reposait toujours sur deux éléments. Il définissait d'abord le problème de l'entreprise en cause, puis il analysait la personnalité des deux chefs, patronal et syndical, avec lesquels il devait faire le consensus. Il ne suffit pas de bien connaître une entreprise, il faut aussi connaître les hommes qui sont à la barre.

Pierre Péladeau agissait toujours de la même manière. Il n'abordait jamais un problème uniquement de façon cartésienne. Il considérait toujours le côté humain de toute l'affaire. M. Péladeau me dira qu'au fond il ne connaissait rien en imprimerie ni en édition de journaux. Sa spécialité, c'était de savoir s'entourer des meilleurs individus et de les motiver à accomplir leurs tâches au-delà de leurs limites personnelles.

M. Péladeau me confia : « Je suis un motivateur d'hommes. La première chose que j'analyse dans une affaire, c'est le capital humain. Qu'est-ce qui motive un tel ou une telle ? L'argent, le pouvoir, la gloire, le sexe ou autre chose ? Une fois que j'ai cette information, je peux négocier l'affaire sur la table et surtout la gagner. »

Brian Mulroney est lui aussi un meneur d'hommes et un brillant communicateur. Il écoute attentivement son interlocuteur, et il le regarde toujours droit dans les yeux. C'est ce que faisait Pierre Péladeau. Lorsqu'il vous parlait, il vous regardait profondément, et rien d'autre n'existait autour de vous.

Une autre particularité rapprochant les personnages Péladeau et Mulroney est leur désir d'être dans l'action plutôt que dans un bureau. Pierre Péladeau aimait visiter ses usines ou ses journaux. Il aimait rencontrer ses employés et sentir l'action sur le terrain. Il disait que l'on ne gagnait pas une guerre assis dans un bureau, mais debout sur le champ de bataille. Brian Mulroney voulait toujours être sur le terrain pendant qu'il était jeune avocat ou plus tard lorsqu'il devint Premier ministre.

Enfin, les deux hommes se ressemblaient sur un dernier point : leur problème d'alcool, qu'ils ont réussi à vaincre.

* * *

J'étais présent à Baie-Comeau le soir du 4 septembre 1984 lorsque Brian Mulroney a remporté une victoire électorale historique. Il fit élire deux cent onze députés sur une possibilité de deux cent quatre-vingt-deux. J'étais très heureux de constater le balayage des conservateurs à l'issue de cette campagne électorale, car je m'y étais impliqué activement dans la péninsule acadienne du Nouveau-Brunswick C'était mémorable. En Acadie, les conservateurs avaient remporté neuf comtés sur dix.

C'était l'euphorie à Baie-Comeau. Je me souviens que l'entourage immédiat de M. Mulroney avait prévu une victoire, mais pas de cette envergure. Brian Mulroney avait été le candidat favori devant John Turner, et il avait mené sa campagne en disant qu'il voulait rentabiliser la machine gouvernementale. On se souviendra aussi du fameux débat télévisé où M. Mulroney avait dit à M. Turner : « *You have the choice...* » Il parlait ici des nominations politiques que Trudeau avait annoncées avant son départ. Turner prétendait qu'il n'avait pas d'autre choix que de les accepter. L'issue de la campagne électorale aurait véritablement été décidée à ce moment-là, et plusieurs attribuent la victoire à cette performance de M. Mulroney lors du débat.

Le fait d'avoir participé à la campagne électorale avait suscité un certain intérêt pour mes compétences et on m'invita rapidement à joindre un cabinet ministériel à titre d'adjoint. Cette énergie que M. Mulroney savait transmettre m'avait donné le goût d'œuvrer pour son équipe. Mon premier travail au gouvernement fut d'abord avec Elmer MacKay, député de Central Nova, en Nouvelle-Écosse. Il avait cédé son siège à Brian Mulroney en 1983 lors de l'élection partielle. En 1984, MacKay occupa le poste de Solliciteur général. Mais après un premier remaniement ministériel partiel au début de 1985, je joignis le cabinet du Premier ministre à titre d'adjoint aux communications. Mes tâches consistaient surtout à assurer la liaison entre les journalistes de la galerie de la presse et le cabinet du Premier ministre. J'accompagnais également M. Mulroney lors des fameux points de presse à la sortie de son bureau de l'édifice de la Chambre des communes. Je retrouvais à Ottawa plusieurs de mes anciens collègues journalistes de *La Tribune parlementaire* de Québec maintenant en poste à la galerie de la presse à Ottawa.

Depuis mes débuts en 1976, j'avais découvert le pouvoir de la presse. À Ottawa, je découvrais le pouvoir de la politique. Je pensais au départ que le pouvoir de la politique était tout à fait l'équivalent du pouvoir des affaires. Mais, dans les années qui ont suivi la victoire de 1984, j'ai été en mesure de constater qu'entre le pouvoir politique et le pouvoir des affaires, notamment avec Quebecor, il y a autant de différences qu'entre le jour et la nuit.

Lorsque l'on est en politique, n'importe qui peut nous approcher et nous poser des questions au sujet de notre travail et de ses résultats. Le politicien doit y répondre de façon transparente ; c'est son devoir en tant que personnage public, car il est au service de la nation. Dans un certain sens, la vie du politicien devient presque la propriété de l'État. Il faut continuellement gérer les échanges avec la communauté et tenter d'obtenir un consensus de groupe. Les décisions personnelles sont très rarement possibles.

Brian Mulroney débarquait à Ottawa avec une solide expérience en gestion, acquise avec la compagnie minière Iron Ore. Il est arrivé au pouvoir dans le but de privatiser les sociétés d'État. Cependant, il a dû se rendre compte rapidement que ce genre de décision demande beaucoup plus de temps que dans le secteur privé, et que cela implique un nombre incalculable de personnes dans la chaîne de l'administration publique. Dans une entreprise privée comme Quebecor, si Pierre Péladeau dit à ses vice-présidents que dorénavant on change de cap, il n'y a personne qui peut le contredire ou s'y opposer, sauf les actionnaires. Ce fut d'ailleurs mon argument en 1991 lorsque je préparai les stratégies de communication pour M. Péladeau.

Le capital et l'actif d'une entreprise privée appartiennent aux propriétaires et aux actionnaires d'une entreprise, tandis que le capital et l'actif de l'État appartiennent aux citoyens. C'est là une différence majeure que l'on ne doit jamais oublier.

Dans les relations de presse au palier politique, les journalistes s'opposent d'emblée et essaient de contredire ce qu'on leur affirme. En affaires, le journaliste n'affronte pas le président d'une compagnie de la même façon et, a priori, il accepte les explications que ce dernier lui donne. Le président d'une entreprise privée n'a pas de comptes à rendre, contrairement à un homme public. Le vrai pouvoir est, selon moi, celui du privé. Le pouvoir politique est illusoire.

Même en tenant compte de cette différence fondamentale entre le secteur public et le secteur privé, je considère que Pierre Péladeau et Brian Mulroney se ressemblaient énormément quant à leur idéologie et à leur style de gestion. Ces deux hommes croyaient au secteur privé et à l'action. M. Péladeau, je l'ai découvert par la suite, pouvait réagir extrêmement vite à toute situation. Brian Mulroney aussi. Les deux hommes travaillaient également avec passion pour leur cause respective, l'un pour Quebecor et l'autre pour le Canada.

Sur le plan personnel et humain, M. Péladeau projetait les mêmes vibrations d'énergie que M. Mulroney. L'un comme l'autre, et je le constatais lorsque j'entrais dans une pièce en leur compagnie, leur charisme habitait tout l'espace. Les deux hommes avaient aussi une énergie peu commune, supérieure à la normale sur le plan de la quantité de travail et des heures consacrées à la tâche à accomplir.

Quand j'ai commencé à travailler pour M. Péladeau en 1991, la ressemblance avec M. Mulroney m'a frappé au niveau du leadership. Lorsqu'un employé leur soumettait un problème, il fallait aussi leur proposer des solutions. Les employés respectaient Pierre Péladeau et Brian Mulroney et, dans les deux cas, il y avait comme une sorte de crainte ou d'anxiété à vouloir bien faire.

Comme avocat, Brian Mulroney avait négocié la première convention collective du *Journal de Montréal*, à la fin des années 1960, dans un style qu'il conserve encore aujourd'hui. Sa façon d'agir lui a permis de régler plusieurs conventions collectives. Il n'accepte pas la défaite. Comme pour M. Péladeau, il lui faut gagner. M. Mulroney fait toujours son travail de recherche avant de commencer. Comme M. Péladeau, il veut tout connaître du dossier. L'information est la pièce centrale de toute la stratégie.

Durant les années 1984 à 1988, j'ai gardé un contact régulier avec Pierre Péladeau. J'assistais à des conférences lorsque j'en avais l'occasion, et je lui faisais parvenir des messages personnels de temps à autre. Je n'ai cependant jamais servi d'intermédiaire officiel entre Pierre Péladeau et Brian Mulroney. Ma relation avec chacun était privée et personnelle.

En 1988, après un passage à la Société canadienne des postes, j'ai quitté l'environnement politique pour devenir consultant privé en communications. C'est à ce titre de consultant que je me suis rapproché de M. Péladeau sur le plan professionnel. J'ai réalisé plusieurs analyses de marché dans le domaine de l'édition de journaux et nous avons alors entretenu une correspondance régulière et soutenue parce que Quebecor était souvent l'un des partenaires sollicités dans mes divers projets, de façon directe ou indirecte, comme investisseur potentiel.

L'un de mes premiers projets fut d'analyser la situation du journal *Le Droit* à Ottawa et la proposition d'une stratégie d'entreprise visant à occuper de façon résolue le marché de la capitale nationale. Au début de 1988, *Le Droit* eut des problèmes financiers importants : il sortait d'une grève. Il vivait la même problématique que *L'Évangéline*, un autre journal qui, tout comme *Le Droit*, fut créé initialement pour défendre le fait français dans sa région plutôt que pour faire des profits. Il fallait toutefois trouver de nouvelles options de restructuration. Est-il nécessaire de mentionner que le propriétaire était Conrad Black ? On comprendra facilement, sans qu'il faille élaborer, qu'il n'entendait pas à rire sur les questions de rentabilité.

M. Black avait acheté *Le Droit* et *Le Soleil* de Jacques Francœur à la fin de 1986. Peter G. White, bras droit et associé de M. Black, avait rencontré les employés et il leur avait fait part de la nouvelle stratégie d'entreprise, qui était de rationaliser au maximum. La réaction a été plutôt mauvaise, car les sept syndicats ont déclenché en février 1988 une grève qui a duré six mois.

Après le règlement de la grève, j'ai réalisé un plan de restructuration que j'ai présenté à la direction du *Droit*. Les dirigeants ont aimé mes suggestions, mais ils préféraient un calendrier de réalisation plus long que celui que j'avais proposé. Il était même question de vendre le journal. J'ai donc préparé un second plan, avec la collaboration d'un autre consultant, dans lequel je préconisais l'achat du journal *Le Droit* par M. Péladeau. Il y eut des discussions entre M. Péladeau et M. Black, mais rien n'aboutit dans le sens de l'accord préconisé.

Finalement, les dirigeants du *Droit* ont apporté des changements de structure à l'entreprise en conservant uniquement la base principale du journal. On a d'abord vendu l'imprimerie commerciale, qui était rentable, mais qui ne s'intégrait pas bien à la mission de l'entreprise ; on a ensuite déplacé à Montréal la filiale Novalis, qui publie notamment *Prions en Église* ; on a changé le format du journal *Le Droit* pour en faire un tabloïd ; et on a aussi déménagé le bureau en vendant l'édifice, comme le fit plus tard *Le Devoir*. *Le Droit* avait ses propres presses, mais elles n'étaient pas rentables. La solution était de faire imprimer à contrat. C'était là une solution plus économique et moins lourde. *Le Soleil* l'avait déjà compris comme *Le Droit* le comprendra à la fin des années 1980.

Par la suite, j'ai réalisé une analyse de la situation du journal *Le Devoir*. J'y préconisais là aussi que le journal soit plus actif au sein de la communauté et j'avais proposé au directeur Benoit Lauzière que Pierre Péladeau et Quebecor jouent un rôle précis dans la relance.

J'avais suggéré : « Vous devriez utiliser leur technique de vente publicitaire pour être plus présent dans la communauté. »

J'avais contacté M. Péladeau pour lui demander ce qu'il en pensait et il était ouvert à l'idée dans son ensemble. J'avais aussi proposé une campagne de financement faisant participer les autres grands quotidiens de la métropole. Malheureusement, rien n'a abouti, sauf que, par la suite, l'édifice du *Devoir* a été vendu à Quebecor…

J'ai réalisé plusieurs autres projets pour des journaux de moindre envergure, mais je suis revenu frapper à la porte de Pierre Péladeau avec un projet qui le concernait personnellement : démarrer un troisième quotidien après *Le Journal de Montréal* et *Le Journal de Québec*, soit *Le Journal de Hull*.

J'ai mené ce projet de front en 1989 avec Louis M. Bergeron, un des premiers journalistes sportifs du *Journal de Montréal* à voyager avec le Canadien et les Expos. Bergeron a quitté *Le Journal de Montréal* peu de temps après l'arrivée de Jacques Beauchamp. Il connaissait bien la région de l'Outaouais, et il avait relancé les trois hebdomadaires du *Droit* alors que le propriétaire était Jacques Francœur, personnalité bien connue du monde des journaux. Il a notamment dirigé l'hebdo *Dimanche Matin*.

Bergeron et moi voulions un nouveau quotidien pour remplacer *Le Droit*. Nous avions conçu un plan d'affaires très précis afin que M. Péladeau y adhère, ainsi que d'autres investisseurs de la région.

Pierre Péladeau avait accepté de recevoir notre document et il en a accusé réception par téléphone. Il m'a dit qu'il le regarderait avec beaucoup d'attention et que notre projet était manifestement bien préparé. Quelques jours plus tard, il m'a téléphoné pour me demander des précisions au sujet de certains chiffres. Mais au bout de quelques semaines, il nous a répondu par écrit, dans la négative, contrairement à nos attentes et à nos espoirs. Nous étions convaincus qu'il embarquerait avec nous et que notre journal aurait ainsi formé un trio avec ses deux autres quotidiens de Montréal et de Québec : même format, même dynamique de vente, même présentation graphique. Nous voulions aussi installer notre quotidien à Hull, du côté du Québec, avec Gatineau comme territoire et un plus grand bassin de francophones, le même genre de marché qu'à Québec. *Le Droit* aurait bien aimé nous imiter, mais les syndicats ontariens empêchaient légalement un tel geste d'une entreprise constituée dans leur province.

M. Péladeau était l'homme de la situation selon nous, mais lui n'était pas complètement convaincu qu'il y avait financièrement un marché pour susciter assez de recettes publicitaires. Notons que *Le Journal de Montréal* distribuait à l'époque quelque 5 000 exemplaires dans l'Outaouais. De plus, en Ontario, les francophones lisaient davantage la presse anglophone. Il avait déjà essuyé de graves échecs sur le marché anglophone, à Philadelphie et plus récemment à Montréal avec *The Daily News*, et il n'était pas à l'aise avec l'idée d'y toucher une autre fois.

Mais il avait regardé le projet très attentivement et réfléchi à la situation pour finalement rendre sa décision. Nous lui avions présenté tous les éléments essentiels avec des tableaux comparatifs. Le travail était très soigné sur le plan de la recherche, et je pense que Louis M. Bergeron et moi avions attiré son attention. Bergeron est toujours en Outaouais, où il est l'éditeur d'*Outaouais Affaires*, journal mensuel à Gatineau.

Bien qu'il n'ait pas financé le projet du nouveau quotidien, Pierre Péladeau avait pu juger ma façon personnelle de travailler, et il en prit bonne note. Il m'a dit d'ailleurs, en 1991, m'avoir offert un poste d'adjoint au président à la suite des efforts que j'avais mis dans mon projet de 1989.

Plus tard, j'ai participé à une mission économique à Paris, toujours dans le domaine des publications, pour la délégation économique de la France à Ottawa. Je devais identifier les joueurs économiques à Paris dans le secteur des journaux et du minitel, et tenter d'établir un rapprochement avec des entreprises de l'Outaouais.

Fidèle à mes habitudes, j'avais envoyé une copie de mon rapport à Péladeau en lui disant qu'il y avait de belles occasions en Europe. Je lui envoyais mon document par courtoisie. Il m'a remercié en disant qu'il l'avait aimé.

J'étais convaincu que je pourrais aider Pierre Péladeau au sein de ses hebdomadaires et contribuer par mes idées à en améliorer l'efficacité. À la suite d'une proposition écrite de ma part à ce sujet, il a communiqué avec moi pour m'inviter à la réunion annuelle de planification de ses hebdomadaires le 2 août 1991. Notre correspondance écrite fut plus abondante à partir de ce moment.

Les dirigeants qui prenaient place à la réunion m'ont bien montré qu'ils étaient motivés par leur leader et qu'ils le respectaient. J'ai pu me rendre compte que le succès de Quebecor était dû à ce vif esprit de motivation de la part de Pierre Péladeau, esprit qui n'a rien de compliqué et qui repose sur le gros bon sens dans l'usage de l'encouragement et de la critique, mais qui est très efficace lorsqu'il est bien appliqué.

Peu de temps après, le 16 août, ce fut la réunion avec la direction du *Journal de Montréal*. M. Péladeau m'avait également convié à cette réunion annuelle d'analyse en tant qu'observateur. Je lui ai ensuite envoyé mes remarques et mes recommandations dans un petit rapport écrit : « *Le Journal de Montréal* pourrait encore s'améliorer : avoir une seule manchette en première page, être plus présent dans la communauté, différent des autres, unique, urbain plutôt que régional. »

Le Journal de Montréal avait tenté, à une époque, de copier *Le Soleil* et d'être régional. Selon moi, il fallait qu'il soit avant tout urbain. On avait constaté à un certain moment une tendance de la part de plusieurs grands journaux à se régionaliser. *Le Soleil*, entre autres, avait des bureaux un peu partout en région dans l'est du Québec.

Durant ces deux réunions de réflexion, j'avais pu constater que M. Péladeau agissait comme un gagnant. Il y avait, bien sûr, une machine derrière lui qui était puissante et qui faisait avancer toute la structure, mais il était un personnage très dynamique au plus profond de lui-même, et de façon naturelle. On disait pourtant de lui qu'il n'était pas ouvert aux conseils des autres et qu'il n'écoutait que lui-même. Au contraire, il se montrait toujours sympathique envers les gens qui lui offraient des solutions pour les problèmes, et il pouvait changer d'idée lorsqu'il comprenait qu'il était dans l'erreur. Certes, il avait une philosophie bien arrêtée quant à la gestion d'une entreprise : solution, action, résultat. « Tu as un problème, tu dois réagir pour le régler, tu trouves la solution, puis tu obtiens un résultat. Si ça ne marche pas, tu essaies autre chose. Il ne faut pas rester assis à ne rien faire. »

Pierre Péladeau ne se laissait pas approcher par n'importe qui sur le plan professionnel. Il pouvait jeter au panier ce qu'on lui envoyait, s'il n'aimait pas l'expéditeur ou la façon dont le travail était présenté, mais il était toujours intéressé à écouter et à donner de son temps lorsqu'il rencontrait quelqu'un qui avait des idées *nouvelles et dynamiques*. Il a agi de cette façon avec moi, mais également avec beaucoup d'autres personnes. Combien de fois l'ai-je vu encourager des jeunes à se lancer en affaires et leur offrir son aide pour les conseiller ? Une bonne centaine de personnes ont bénéficié ainsi de son soutien. Il aimait aider des gens qui s'aidaient eux-mêmes. L'entrepreneurship était la meilleure qualité qu'il pouvait apprécier chez toute personne.

J'ai constaté très tôt durant mes premières expériences avec M. Péladeau que les gens qui travaillaient avec lui avaient tous la même appréciation du personnage. Je n'ai jamais vu personne qui travaillait pour lui être malheureux ou le détester. C'étaient des gens qui n'étaient pas près de lui qui le critiquaient. J'ai rapidement compris que c'était par jalousie que les gens en parlaient parfois en mal. Je me disais que ces derniers n'avaient tout simplement pas réussi à le séduire et qu'ils le haïssaient un peu à cause de cet échec.

Personnellement, j'ai découvert un homme complètement différent de ce que la légende disait de lui. Il ne faut pas se leurrer. Pour que M. Péladeau bâtisse *Le Journal de Montréal*, il a fallu qu'il y ait des gens qui l'aiment et qui le secondent. Tous les gens qui l'ont côtoyé ont pu apprécier le personnage à sa vraie valeur, et surtout ont été motivés par sa présence à la direction. De mon côté, j'ai découvert ce personnage et, moi aussi, j'ai voulu me joindre à son équipe.

J'avais eu du plaisir à travailler avec M. Mulroney ; je me disais que j'en aurais davantage avec un homme comme M. Péladeau, car, en plus, il était dans le domaine que j'aimais : les journaux.

Plusieurs années plus tard, une jeune étudiante de Chicoutimi lui demanda comment j'avais fait pour devenir son adjoint. Il a répondu :

« Tout ça a commencé par une correspondance continue. »

Toutes les personnes qui en ont fait l'expérience pourront en témoigner : M. Péladeau aimait recevoir des lettres. Il se faisait un devoir de lire tout son courrier et de lui donner suite rapidement, très souvent par téléphone. Il ne fallait pas se surprendre, en répondant à un appel, de l'entendre claironner à l'autre bout : « Bonjour, c'est Pierre Péladeau. » Il fallait évidemment que le correspondant touche ses cordes sensibles, sinon la requête aboutissait dans la corbeille à recyclage.

Au début de 1991, je lui ai donc écrit une autre lettre personnelle dans laquelle je lui offrais mes services au sein de Quebecor. « Je voudrais me joindre à vous pour une période de cinq ans afin d'acquérir une solide expérience de gestion. Dans cinq ans, je partirai et on dira de moi que je suis un gars qui est allé à l'école de Péladeau. »

À la fin d'une journée à mon bureau d'Ottawa, alors que rien d'excitant ne se produisait, j'allais partir quand le téléphone sonna :

« Allô ! C'est Pierre Péladeau. J'aimerais ça que tu viennes me voir. Je ne te promets rien, mais j'ai peut-être quelque chose pour toi. »

Chapitre 4

Le 612, rue Saint-Jacques

Pierre Péladeau m'avait donné rendez-vous à 9 heures le 8 octobre 1991 au 13ᵉ étage de l'édifice Quebecor, situé au 612 de la rue Saint-Jacques Ouest, à Montréal. J'avais quitté ma résidence d'Orléans, en banlieue d'Ottawa, en Ontario, dès 6 heures du matin au cas où j'aurais été retardé par la circulation. Je voulais arriver au moins une demi-heure avant la rencontre avec le président de Quebecor.

M. Péladeau arriva à 10 h 30 au bureau, d'un pas rapide, mais calme. En me voyant assis à la réception, il me sourit. Il s'arrêta et regarda sa montre en disant, l'air faussement surpris :

« Monsieur Bernard, bonjour ! Est-ce que je suis en retard ? »

Il continua de marcher en direction de son bureau et me demanda d'attendre qu'il ait enlevé son manteau. Environ cinq minutes plus tard, Micheline Bourget, sa secrétaire, que j'avais déjà saluée plus tôt, vint me demander de la suivre. Nous nous dirigeâmes directement vers le bureau de Pierre Péladeau. C'était un très vaste bureau en coin, étroit mais d'au moins six mètres de longueur, avec des meubles de style. Sur les murs étaient suspendus des tableaux signés par de grands noms. J'en reconnus deux : Jean-Paul Lemieux et Marc-Aurèle Fortin. La vue donnait sur la tour de la Bourse, au nord, et sur le bureau de Paul Desmarais (Power Corporation) à l'est.

Avant de m'inviter à m'asseoir, il me dit :

« Est-ce que tu veux un café ? »

J'acceptai et il en demanda un pour lui aussi. Nous étions à peine assis qu'il me dit :

« Bon ! Dis-moi ça en cinq minutes : que peux-tu faire pour moi ? »

J'avais préparé mes options et, à sa demande, j'avais déjà envoyé une lettre lui expliquant ce que je ferais s'il m'embauchait. En réponse à sa question, je lui ai répété verbalement, en quelques minutes, que je serais à l'aise pour occuper un poste soit comme journaliste au *Journal de Montréal*, soit comme éditeur dans l'un de ses hebdomadaires, soit comme responsable des relations publiques au siège social de Quebecor.

Il était intéressé par le dernier point.

« Et qu'est-ce que tu pourrais faire en relations publiques pour Quebecor ? »

J'ai commencé par lui décrire comment j'interprétais tous les problèmes vécus depuis les douze derniers mois, situation amorcée par la publication d'un reportage que le magazine *L'Actualité* lui avait consacré. Selon moi, il avait manqué de rigueur dans la gestion de ses contacts avec les journalistes. Il était possible de bâtir une stratégie de relations publiques qui le mettrait en valeur, tout en le protégeant. Évidemment, à titre de consultant en communication, j'avais mes théories en matière de gestion des communications dans une grande entreprise. Je lui en avais d'ailleurs déjà fait part à plusieurs reprises dans le passé. Je considérais qu'il était possible, et même nécessaire, de gérer les relations publiques comme on gère tous les autres secteurs d'activité dans l'administration, tels que les finances, les ressources humaines ou les ventes.

* * *

Un an auparavant, un article publié dans le magazine *L'Actualité* [1] secouait la rue Saint-Jacques et, en particulier, l'entourage de Pierre Péladeau. Le journaliste, Jean Blouin, avait tracé un portrait de Pierre Péladeau que l'on titrait :

« Péladeau tout craché – Aucun homme d'affaires n'est plus connu au Québec. On l'admire ou on le déteste. La légende a avalé la réalité. On sent le besoin de déplanter ce décor. »

---

1. *L'Actualité*, 15 avril 1990.

Si cet article voulait présenter un Pierre Péladeau aussi cru qu'il pouvait l'être quand il se laissait aller – et il était facile de le provoquer –, on peut dire que c'était réussi. Ses répliques étaient citées sans laisser aucune place à l'interprétation et ses phrases étaient parfois parsemées de jurons et carrément d'insultes. Le journaliste n'avait pas écrit un article complaisant. Plusieurs citations et plusieurs détails voulaient peut-être donner un portrait fidèle de Pierre Péladeau, mais c'est comme si l'on avait accentué les aspects négatifs du personnage en éclipsant les aspects positifs. Pour une opération de relations publiques, on peut dire que M. Péladeau avait complètement raté son coup.

Ce sont deux passages en particulier de ce reportage qui ont soulevé une grande colère de la part de la quasi-totalité de la communauté juive du Québec et d'ailleurs au Canada. Le journaliste cite M. Péladeau ainsi :

« Je suis antipersonne, je suis pro-Québécois. Je n'ai jamais reproché au *Journal* d'avoir consacré un article à un Juif parce que c'était un Juif, mais parce qu'il n'était pas francophone. J'ai un grand respect pour les Juifs, mais je trouve qu'ils prennent trop de place. Je veux d'abord que l'on aide nos gens qui en ont bien plus besoin [2]! »

Il dira aussi plus loin qu'il admire Hitler pour sa volonté de fer et sa discipline de travail, discipline que l'on retrouvait, selon M. Péladeau, chez tous les Allemands.

La communauté juive n'avait pas apprécié ces deux commentaires. En effet, c'est une chose pour un personnage public que de faire une déclaration, encore faut-il que le message circule. Dans ce cas-ci, on peut dire qu'il s'était rapidement propagé dans toute la communauté intéressée. Pourtant le magazine *L'Actualité* n'est pas un outil de propagande antijuif. C'était, et c'est encore aujourd'hui, une excellente publication qui se veut d'une certaine façon la version française du magazine *Maclean's* de Toronto. *L'Actualité* est un bimensuel surtout distribué au Québec, dont le tirage atteint environ 191 000 exemplaires.

En accordant une entrevue à ce magazine, Pierre Péladeau avait pensé s'adresser au Québec francophone, et il avait voulu afficher

---

2. *L'Actualité*, 15 avril 1990, p. 48.

encore une fois son penchant nationaliste. Le journaliste, M. Blouin, avait probablement voulu aiguiller autrement son sujet, et avait alors orienté son article vers les aspects les plus colorés du personnage. Ce que rapportait le rédacteur de *L'Actualité* n'était pas faux, mais mal présenté, sans la mise en contexte.

Si Pierre Péladeau avait déjà été accusé de sensationnalisme et, parfois, de profiter des personnalités pour faire augmenter son tirage, il en était la victime dans ce reportage publié le 15 avril 1990, quatre jours après son 65e anniversaire de naissance.

L'effet de ces propos fut catastrophique pour lui et pour Quebecor. Le temps de réaction et la réplique à l'article de la part de M. Péladeau ne firent rien non plus pour en diminuer les répercussions. Il semble en effet que personne chez Quebecor, et en particulier Pierre Péladeau lui-même, n'avait lu l'article une fois publié pour vérifier si chaque citation était reproduite dans le bon contexte.

Le tollé qui s'ensuivit de la part de la communauté juive était semblable à une vague de fond impossible à stopper une fois déclenchée. Les leaders de la communauté juive s'étaient rassemblés et ils avaient décidé de contester l'ingrat personnage qu'était Pierre Péladeau. Cette contestation se traduisait de façon précise sur le plan des affaires par l'annulation, entre autres, de certains contrats importants en publicité et en imprimerie. Ce fut un boycottage en règle.

M. Péladeau fut ébranlé par la réaction, et il s'interrogea longuement sur la raison qui l'avait fait trébucher ainsi dans la gestion de son image. Il avait toujours voulu envoyer un message d'encouragement aux siens ; pourquoi lui répondait-on ainsi ? Il ne haïssait pas les Juifs. Il déplorait plutôt le fait que les Québécois ne savaient pas les imiter. Il avait voulu défendre ses semblables comme le font les leaders juifs pour les leurs. La seule attention particulière à l'égard de la communauté juive portait sur sa solidarité. Ceux qui fréquentaient ou travaillaient avec M. Péladeau l'avaient souvent entendu prendre les Juifs en exemple d'entraide, de soutien et de complémentarité. Il leur vouait une véritable admiration pour leur sens des affaires et, selon lui, les Québécois occuperaient un espace plus important sur la scène financière s'ils copiaient leur mode de gestion. Il traduisit cette pensée au journaliste en ces termes :

« Si les Juifs prennent trop de place dans l'économie, c'est parce que les Québécois n'en prennent pas assez. »

C'était son explication, mais le journaliste avait mis en évidence une partie seulement de sa remarque.

À cette époque, en 1990, j'ai bien tenté, sur une base personnelle, d'aider Pierre Péladeau à faire face à cette crise ; je l'ai même défendu publiquement. Je n'ai pas agi à titre de consultant, mais par amitié et surtout par admiration pour le personnage. J'ai écrit une remarque que j'ai adressée aux principaux quotidiens du Québec, dont *La Presse*, ainsi qu'à *L'Actualité*. C'était évidemment une goutte d'eau dans toute l'affaire, mais je me suis levé et j'ai pris position. J'ai tenté d'expliquer comment je voyais le personnage et pourquoi il ne fallait pas le crucifier ainsi.

L'Actualité refusa de publier mon commentaire, mais Jean Paré, rédacteur en chef, m'expliqua par lettre que le magazine reconnaissait son erreur et que l'on préférait classer le dossier [3].

Extrait de mon texte
adressé aux grands quotidiens du Québec

[…] Les critiques à l'égard de M. Pierre Péladeau au sujet de son idéologie personnelle, telle qu'elle a été publiée dans le magazine *L'Actualité*, sont fausses et on perçoit mal la vraie et la grande valeur de cet homme d'affaires québécois. On s'acharne sur la vision personnelle de M. Péladeau, vision qui lui appartient, et on ne s'attarde aucunement sur les grandes réalisations de celui-ci. M. Pierre Péladeau a réussi à créer un géant économique québécois unique et dont le succès est un modèle pour tous les francophones du pays. L'entreprise qu'est Quebecor atteint aujourd'hui un chiffre d'affaires de plus de deux milliards de dollars et emploie plus de 18 000 personnes. Pourtant, cette réalisation québécoise a débuté d'une façon fort humble et la fortune de M. Péladeau ne date pas des générations précédentes, car l'entrepreneur a démarré avec une somme de 1 500 $ seulement, il y a de cela quelque vingt-six années passées.

---

3.   Voir la reproduction de la lettre dans le cahier photos n° 1.

Voilà ce sur quoi il faut s'acharner et ce à quoi il faut applaudir plutôt que huer. – Mai 1990 –

Extrait de mon texte
adressé au magazine *Le 30*[4]

[…] Le dossier spécial sur M. Pierre Péladeau publié dans l'édition de juin 1990 du magazine *Le 30* est intéressant à plusieurs égards à propos du travail des journalistes. Toutefois, le dossier spécial n'a pas véritablement répondu à la question principale, à savoir : est-ce que l'affaire a été traitée correctement et d'une façon équitable par la presse ou est-ce que la partisannerie et le sensationnalisme ont dominé ?

La première preuve du manque d'équité accordé à cette affaire est la façon utilisée par le magazine *L'Actualité* pour publier sa correction. Plutôt que de présenter une mise au point – rétractation – dans les pages mêmes du magazine, on a préféré utiliser la place publique et émettre un communiqué de presse sur le réseau Telbec.

Selon moi, il eût mieux valu ne pas émettre de communiqué de presse, mais présenter les faits véritables dans l'édition suivante de *L'Actualité*. On dira que la couverture obtenue par l'usage de Telbec est plus large, mais c'est justement ce qui a créé le manque de professionnalisme journalistique alors que l'on a voulu produire un débat médiatique au lieu de simplement rétablir les faits.

De plus, malgré tout le cheminement public qu'a connu l'affaire, la publication d'une rétractation dans les pages mêmes du magazine serait essentielle encore aujourd'hui comme l'a mentionné Jean Pelletier, chroniqueur, pour ceux qui, plus tard, reliront *L'Actualité*, historiens ou archivistes, et qui voudront alors redire l'histoire de notre époque. Si rien ne figure dans les archives de *L'Actualité*, le débat n'en sera que plus compliqué et plus faux […] – 20 juin 1990 –

---

4.   Publié par la Fédération professionnelle des journalistes du Québec.

* * *

Pierre Péladeau m'avait écouté sans interruption pendant que je lui expliquais la façon dont j'envisageais mon travail chez Quebecor. J'étais encouragé de constater qu'il était attentif à mes propos. Mon exposé devait l'intéresser.

Ce que je recommandais pour Quebecor était relativement simple. Il fallait, selon moi, établir des mécanismes de surveillance vis-à-vis des médias comme il en existe ailleurs, en particulier dans le secteur politique. Il faut s'assurer de lire l'article de presse immédiatement après sa publication, mais surtout choisir stratégiquement le ou les médias à qui l'on accorde des entrevues. Également, l'attaché de presse doit toujours assister au déroulement de l'entrevue en compagnie du président et s'assurer, après la rencontre, que le journaliste a bien interprété et bien compris le sens des réponses données. Il faut obtenir la date de publication de l'entrevue et faire les démarches pour en obtenir un exemplaire rapidement. Mais, plus important encore, il faut conserver un enregistrement de la conversation entre le président et le journaliste. En tant qu'attaché de presse, il est essentiel de se munir d'un magnétophone et d'enregistrer l'entretien afin de pouvoir contester ou confirmer l'interprétation rendue par le journaliste et le média qu'il représente. Si l'entrevue est importante et que l'on dispose du temps nécessaire, il peut être utile de faire transcrire l'enregistrement à titre de référence. C'était là une pratique courante lorsque j'étais au service de Brian Mulroney.

Au bout d'environ dix minutes, Pierre Péladeau m'a avoué qu'il ne s'était peut-être pas assez protégé durant les dernières années ; il y avait peut-être eu un peu de négligence de sa part et j'avais probablement raison dans mes remarques. Quebecor était une entreprise qui avait grandi énormément et rapidement, et il fallait se doter de mécanismes de surveillance qui étaient inutiles auparavant.

Il m'a alors demandé, de façon très directe :

« Combien tu vas me coûter pour tout ce que tu proposes ? »

Je lui ai mentionné un prix ni trop élevé ni trop bas, très conforme au marché.

« C'est réglé ! Quand es-tu disponible pour commencer ?

– Mais cet après-midi, si vous voulez... »

Comme il pensait à tout, il ajouta :

« Quel titre veux-tu écrire sur ta carte professionnelle ? »

Il conclut la conversation en me disant qu'il me proposait une période d'essai. Il « nous » donnait trois mois de part et d'autre pour savoir si la chimie fonctionnait. Il a dit : « Ça passe ou ça casse. » Après ce délai, s'il était satisfait de mon travail, et moi de l'ambiance chez Quebecor, le marché était conclu. Sinon, notre entente ne tiendrait plus, mais nous resterions bons amis.

* * *

À la demande de M. Péladeau, mon premier mandat fut de rédiger un mémoire qu'il voulait présenter au nom de Quebecor à la Commission parlementaire sur les artistes du Québec, qui devait se tenir dans les semaines suivantes. Il considérait que Quebecor, comme plusieurs autres entreprises, faisait beaucoup pour les artistes québécois et que nous devions mettre ce fait en évidence auprès du gouvernement du Québec.

La première journée, je n'avais pas de bureau. Il m'a installé dans sa salle de conférences, un genre de petit salon, et il m'a dit que je serais dès le lendemain matin dans le bureau qu'avait André Gourd (il avait quitté l'entreprise quelque temps auparavant). Gourd avait occupé un poste de la haute direction et le bureau était pratiquement plus grand en superficie que celui du grand patron. Il était intimidant de m'y installer.

Je n'étais pas encore assis dans la salle de conférences qu'il arriva en compagnie d'une jeune femme.

« Je vais te présenter Dominique Vincent, ton adjointe. »

Je ne savais pas alors que j'en avais une.

Le lendemain, à ma première journée officielle, je croisai Pierre-Karl Péladeau qui, visiblement, ne savait pas qui j'étais.

« Vous êtes qui, vous ? » me demanda-t-il, intrigué.

Je lui répondis que j'étais l'adjoint de son père.

Il a tourné les talons sans poser de questions, se contentant de dire simplement :

« Ah bon ! Bonjour. »

Quelques minutes plus tard, j'aperçus Raymond Lemay.

« Vous êtes qui, vous ? » me demanda-t-il aussi.

Je me présentai avec empressement.

« Ah bon ! Il a un adjoint maintenant ! » ronchonna-t-il en s'éloignant.

J'ai compris alors que l'idée de m'embaucher était de Pierre Péladeau lui-même. Le président avait décidé, et j'avais été accepté sans aucune discussion ni consultation avec ses vice-présidents.

* * *

J'ai tout de suite pris mon rôle très au sérieux quant à l'élaboration du mémoire. Je voulais un document complet. La première semaine, j'ai tout d'abord entrepris de me familiariser avec les diverses publications et filiales liées aux artistes. J'ai visité Distribution Trans-Canada et rencontré le personnel en compagnie de Chantale Reid, alors directrice de cette importante maison de distribution de disques. Ensuite, j'ai rencontré les éditeurs des journaux et des magazines artistiques.

Après quelques jours, mon bureau fut rapidement envahi de documents et de boîtes d'archives. Dominique Vincent, mon adjointe, m'assistait dans la préparation du mémoire. Il y avait des dossiers et des papiers étalés partout. M. Péladeau est venu voir comment je m'en sortais. Il est resté sur le pas de la porte et regarda ce vaste déploiement de papiers et de boîtes.

« Tu as l'air très organisé mon homme ! Ça va être un beau document. »

* * *

Afin de m'initier à sa façon de travailler avec les gestionnaires de ses magazines de vedettes, il m'a demandé de l'accompagner à une réunion de l'hebdomadaire *Le Lundi* où il devait discuter avec le personnel de direction. Au début de la rencontre, on lui présenta les maquettes de la prochaine édition. Sa réaction ne fut pas longue à venir. Il a simplement empoigné les canevas et il les a lancés en direction de la corbeille en criant :

« Ça ne vaut rien. Vous allez me recommencer ça et vite ! »

Je venais d'assister pour la première fois à l'une de ses légen-
daires colères. L'éditeur et le rédacteur en chef n'en menaient pas
large… À l'issue de ce baptême, M. Péladeau a quitté la réunion
pour se rendre à un rendez-vous, et c'est l'éditeur du *Lundi* qui m'a
ramené dans son véhicule au 612 de la rue Saint-Jacques.

« Faut pas t'en faire, me dit-il en regardant la circulation en
coin. Tu ne vas pas nécessairement durer longtemps. Chez Quebecor, il faut être prudent et j'ai vu d'autres adjoints qui n'ont pas fait
long feu. »

Je ne sais pas s'il voulait m'humilier parce que j'avais été
témoin de la scène qui venait de se passer, ou me donner un conseil, toujours est-il que, quelque temps plus tard, le rédacteur en
chef a été remercié de ses services. En ce qui me concerne, j'ai
« duré » jusqu'à la fin de Pierre Péladeau.

* * *

J'ai compris très rapidement que M. Péladeau aimait la simplicité en tout. Il fallait être clair, concis, bref. Je pouvais élaborer des
plans très détaillés, mais, lorsque j'arrivais devant lui, la plupart du
temps je gardais mes notes et je lui parlais tout simplement. Il
n'avait pas à lire mes documents, et il me donnait des réponses
aussi brèves que rapides.

Le mémoire au sujet de Quebecor et la culture était volumi-
neux, une cinquantaine de pages, un peu trop à son goût, et il ne se
voyait pas en train de le présenter. Mais il savait que les parlemen-
taires voulaient ce genre de dossier. Il a donc délégué Jacques
Girard pour aller le présenter officiellement à sa place. Girard, qui
avait déjà été sous-ministre, connaissait bien les rouages de l'administration publique et il y serait plus dans son élément que M. Péladeau. Il serait mieux perçu et mieux compris.

Par la suite, lorsque je préparais un dossier, j'en présentais toujours la synthèse de façon très concise. Je m'adaptais au client.
Pierre Péladeau et Quebecor, je le constatais semaine après
semaine, étaient des géants, mais il suffisait parfois d'agir avec simplicité pour les atteindre.

* * *

D'un autre côté, je découvrais un besoin à combler sur le plan des relations publiques, lequel expliquait d'une certaine façon comment la crise de 1990 avait pu survenir. Ainsi, je considérais que l'attaché de presse se devait d'encadrer étroitement le président dans toutes ses sorties publiques, qu'il s'agisse de conférences, d'entrevues ou de rencontres officielles. Cet encadrement n'avait pas toujours eu lieu chez Quebecor.

Dans une entreprise aussi grande et importante, œuvrant en plus dans le domaine de l'édition et des communications, il fallait que le patron respecte un plan de gestion pour son image publique. Presque toutes les entreprises, de moyenne ou de grande taille, sont équipées d'outils de relations de presse et de communication avec un personnel en place pour gérer et planifier le travail. Lorsqu'il s'agit des médias, les contacts s'établissent d'abord avec le porte-parole de l'entreprise, qui, en général, est le directeur des relations publiques et qui se charge de filtrer et de traiter les demandes avant de les acheminer vers le président.

Même à la fin de 1991, une année plus tard, M. Péladeau subissait encore les conséquences du sombre épisode de *L'Actualité*. Je me suis lancé le défi de reconstruire l'image du président et ce, en l'espace de deux ans. J'ai d'abord commencé à rédiger un plan, de façon informelle, qui permettrait de faire connaître le vrai Pierre Péladeau. Les gens le jugeaient pour de mauvaises raisons. Sa vie personnelle prédominait aux yeux du public et on oubliait toujours qu'il était à la barre d'un empire qui était un important créateur d'emplois, touchant la vie de plus de 18 000 personnes (en 1991). C'était là-dessus que l'on devait maintenant miser et éviter de mettre en évidence son caractère ou ses mauvaises habitudes.

J'ai commencé par établir une procédure de gestion des médias. À la différence du milieu politique, où l'on doit gérer les crises sur une base quotidienne un peu comme des pompiers que l'on appelle en urgence pour éteindre un feu, dans le privé, on peut établir un plan d'action à moyen ou à long terme, prévoir et mesurer les effets de gestes posés et, surtout, corriger le tir pour améliorer les répercussions des actions à venir.

Ainsi, toutes les entrevues que M. Péladeau allait accorder à la suite de mes recommandations seraient ciblées. J'ai aussi commencé à appliquer une surveillance et une évaluation de nos efforts. Avant mon plan de communications, lorsqu'il donnait une entrevue à la radio, à la télévision ou dans la presse écrite, il ne s'occupait pas d'en analyser les retombées ou les effets ultérieurs dans l'opinion publique. Par exemple, en 1990, nombreux sont ceux qui ont mis en doute la bonne foi de M. Péladeau lorsqu'il a fait connaître sa réaction seulement plusieurs jours après la publication de l'article de *L'Actualité*. Ce n'est pas qu'il ait commencé à s'y intéresser en raison du tollé provoqué dans la communauté juive et le public en général, mais tout simplement parce qu'il n'avait pas lu le magazine. C'était pratique courante. Il fallait maintenant changer cette habitude. Si M. Péladeau rencontrait un journaliste, il ne le faisait plus seul. Et le lendemain, je m'assurais de ce que l'article ou l'émission avait entraîné comme réaction. Il fallait que ce soit positif, sinon on réagissait pour renverser la vapeur.

Ce n'était pas évident d'arriver avec un plan précis et d'encadrer un personnage comme M. Péladeau, lui qui avait tendance à décider seul et rapidement de ses remarques publiques. S'il consultait, il n'écoutait pas toujours les recommandations. Je compris très vite qu'il n'adopterait pas facilement le moule que je voulais lui proposer. C'était le plan de communication qui devait s'adapter à lui, et non le contraire. J'ai appris à le convaincre et au fur et à mesure, de modifier ses pratiques. Je ne pouvais pas changer le personnage, je devais l'encadrer.

Lorsque je lui ai présenté mon plan de communication, j'avais dans les mains une simple feuille comportant les grandes lignes. Il l'a lue pendant que je lui précisais mes idées verbalement. Je lui ai expliqué que je considérais qu'il fallait dorénavant axer les communications sur les points forts de Quebecor et de son fondateur : l'historique, le rôle d'employeur et l'engagement dans la société. Il fallait également faire connaître tout le côté philanthropique et les sommes considérables investies dans les arts et la culture. Je lui expliquai que j'avais besoin de deux ans pour réaliser un pareil plan et modifier la perception populaire envers Quebecor et Pierre Péladeau.

Il m'a écouté très attentivement et à la fin il était emballé. Il a dit simplement :

« C'est pour ça que je t'ai pris avec moi. »

J'étais assez fier de l'avoir convaincu de mes idées. Avec lui, il ne fallait jamais avoir peur, il fallait oser. La pire chose qui pouvait arriver est qu'il n'aime pas le concept et qu'il passe rapidement à autre chose.

* * *

Dans les deux années qui ont suivi, en respectant l'itinéraire tracé, Pierre Péladeau a multiplié les conférences qu'il donnait lors d'événements spéciaux, de congrès ou à l'occasion de rencontres de diverses chambres de commerce. Il s'est fait connaître davantage auprès des universités. Durant cette période, il a prononcé près d'une centaine de conférences [5] un peu partout au Québec. Il fallait vendre Pierre Péladeau et Quebecor, les faire apprécier et reconnaître à leur juste valeur. M. Péladeau était spontané et il avait cette mauvaise habitude de sortir de son texte selon l'impulsion ou l'inspiration du moment. Il s'est toutefois rendu compte, en voyant les réactions positives qu'il suscitait, que c'était plus avantageux de se fier au document préparé pour la conférence. C'était d'ailleurs le conseil que lui avait donné René Lévesque quelques années plus tôt.

Le texte de ses conférences était généralement écrit à partir d'un canevas de base que nous adaptions à l'auditoire particulier qu'il allait rencontrer. En général, le message était simple, direct et motivateur. Il aimait beaucoup l'humour et il insistait pour que je lui trouve continuellement de nouvelles blagues.

Voici quelques extraits des conférences prononcées par Pierre Péladeau entre octobre 1991 et novembre 1997 :

[...] Qu'est-ce que je pense de la souveraineté du Québec ? Je déteste répondre à cela, car je ne suis pas un politicien. Je suis un homme d'affaires et je laisse ceux qui sont payés pour faire de la politique se gargariser de ces questions de

---

5.   Voir la liste des conférences en annexe 1.

Constitution. Pour moi, le chômage et l'économie sont pas mal plus importants.

[…] Pas de profit, pas d'entreprise. Pas d'entreprise, pas de job. C'EST T'Y ASSEZ SIMPLE ! La preuve de ce que j'avance est une compagnie que je connais bien : Quebecor.

[…] J'ai bien connu Robert Maxwell.
Il faut vivre au moins une semaine dans les bottes de celui que l'on juge. Il portait des 12, moi, des 8.

[…] Il faut savoir s'entourer des bonnes personnes et être capable de prendre un risque calculé lorsque l'occasion se présente. La seule différence entre les perdants et les gagnants, c'est la capacité à saisir l'occasion lorsqu'elle se présente. Il n'y a personne qui n'a pas, tôt ou tard, une chance qui lui passe devant.

[…] À Quebecor, on est efficace car chacune de nos quelque cent entreprises fonctionne comme si elle était encore une petite entreprise. Il faut que chacune de nos entreprises réalise un profit par elle-même. Sans profit, il n'y a pas d'entreprise.

[…] Vous seriez surpris de voir combien il existe de gestionnaires philosophes, supposément chevronnés, qui ne comprennent rien à ce principe élémentaire du profit. Lorsque l'on voit des entreprises comme Olympia & York des frères Reichman dans une faillite de 20 milliards, on s'interroge sur leur notion de profit.

[…] Un entrepreneur est quelqu'un qui sait rêver et avoir de la vision, mais qui sait aussi se relever les manches et qui n'a pas peur de travailler ; qui fait face à la réalité.

[…] Imprimer des journaux, c'est assez banal. Il s'agit d'entrer le papier en rouleaux et de le sortir en paquets.

[...] Quelques années plus tard, dans les années 1960, mon imprimerie fonctionnait à plein et mes journaux étaient plus profitables que jamais. Voilà que l'on m'annonce que la rue où j'étais installé allait être expropriée pour faire place aux immeubles de Radio-Canada. J'avais acheté la rue au complet. Toutes mes ambitions s'écroulaient. Je n'ai pas braillé longtemps et j'ai été m'installer ailleurs dans un nouvel édifice que j'ai construit en quatrième vitesse. Et j'ai recommencé. Dans la vie, rien n'est éternel et il faut savoir s'adapter au changement.

[...] Si j'ai un conseil à vous donner pour être transmis à vos enfants, c'est celui-ci : il faut absolument prendre en main notre économie et ne pas se renfermer sur soi-même. Il ne faut pas s'isoler et croire que le monde s'arrête à notre porte. Le monde est vaste et il est possible d'en faire notre terrain de jeu des affaires. C'est à nous tous et chacun de s'ouvrir les yeux et de VOIR GRAND. Ce n'est pas parce que l'on est québécois que ça fait une différence.

[...] Je connaissais bien René Lévesque. C'était un très bon journaliste, probablement le meilleur qui soit passé au *Journal de Montréal*. On a souvent discuté ensemble et je lui disais bien ouvertement : « René, un pays est fort pourvu que son économie soit forte. Ce n'est pas moi qui le dis, c'est Platon. Regarde les pays africains, ils sont politiquement indépendants, mais ils crèvent de faim. Pourquoi ? Parce que, économiquement, ils sont à la remorque de tout le monde. »
Le Québec est aujourd'hui fort sur le plan politique parce qu'il en mène large sur le plan économique.

[...] Pour réussir dans les affaires, il ne faut pas se buter dans des formules préparées à l'avance. Il ne faut pas avoir peur de sortir des sentiers battus et d'avoir des idées nouvelles. Il faut savoir changer son plan d'attaque si ça ne fonctionne pas à la première tentative et essayer par une autre porte. Frapper à toutes les portes jusqu'à ce que l'on ouvre. C'est comme ça que j'ai réagi lorsque les Anglais de Toronto n'ont pas voulu me vendre *The Toronto Sun*. Si on ne veut pas de mon argent, je vais l'investir ailleurs. D'autres vont l'accepter avec plaisir. Et j'ai investi en France.

[…] À Quebecor, notre succès tient au fait que nous évoluons avec notre temps et que nous sommes capables de réagir à toute vitesse. Nos employés sont des gens qui n'ont pas peur du changement et nous sommes tous des artistes de notre travail.

[…] Un jour le général Patton se rend au restaurant et commande un homard. Le garçon lui apporte un homard auquel il manque une pince. Le général demande au garçon pourquoi son homard n'a qu'une pince. « Eh bien, vous savez, les homards se battent entre eux et ce homard s'est fait arracher une pince. »
Le général remet son assiette au serveur et lui dit : « Garçon, apportez ce homard à la cuisine et rapportez-moi le gagnant ! »

[…] Toujours jouer pour gagner. Dans la vie, il y a ceux qui s'écroulent devant les difficultés et ceux qui, au contraire, ne se laissent pas abattre et foncent encore plus. Les affaires, c'est comme le sport. Ce n'est pas uniquement le talent qui compte, mais le désir de réussir et d'être gagnant.

[…] Il y a un certain nombre d'attitudes simples et pas compliquées que j'ai acquises pour mes vendeurs :
1. Il faut savoir sourire. L'humour ouvre les portes.
2. Être positif. Ne pas perdre les pédales quand on manque une vente. *You miss a deal, you get a deal.*
3. Savoir écouter et ne pas parler pour ne rien dire. Ne pas perdre de temps à critiquer ses concurrents ou les autres, surtout ceux qui réussissent.

4. Il faut s'occuper de son client après la vente. Le succès d'une entreprise dépend souvent du suivi et de l'écoute accordée à son client.

5. Le plus important : se faire payer. Une vente n'est pas complétée tant qu'elle n'est pas payée.

[...] Si on lui en donne l'occasion, la P.M.E. peut souvent proposer à la grande entreprise des solutions meilleures et moins coûteuses que d'autres.

[...] Notre société au Québec a bien évolué, et nous créons, aujourd'hui, des hommes d'affaires. Il y a quelques années, chaque fils de notaire faisait un notaire, chaque fils d'avocat faisait un avocat, chaque fils de médecin faisait un médecin et chaque fils de curé faisait un curé...

[...] Pour faire un *deal*, il faut être imaginatif. J'ai eu la preuve récemment que l'intelligence ne va pas nécessairement avec le métier. Là où j'habite à Sainte-Adèle, j'ai deux voisins. Un est gérant de banque et l'autre c'est mon jardinier. L'été dernier, le fils de mon jardinier s'était installé à l'entrée de son garage avec une affiche : « Chien à vendre : 10 000 $ ». Vers 10 heures, le banquier sort pour aller travailler et il passe devant la résidence du jardinier. Il arrête sa voiture et il lance un cri au jeune garçon : « Tu veux vendre ton chien ? Combien tu demandes ? »

Le jeune garçon montra l'affiche et lui dit : « 10 000 $. » Le banquier lui dit qu'il était un peu optimiste et qu'il serait difficile d'avoir son prix. Il lui souhaita quand même bonne chance !

Le soir, vers 16 heures – les banquiers finissent de travailler tôt –, notre gérant de banque passe devant la résidence du jardinier. Il est tout surpris de voir que l'affiche du chien à vendre a disparu. Il voit le garçon au fond de la cour et il lui crie : « Puis ton chien est-il vendu ? – Oui, monsieur. Je l'ai vendu dès votre départ ce matin. Je l'ai échangé contre deux chats à 5 000 $ chacun. »

* * *

Je rédigeais toujours les discours, mais Pierre Péladeau écrivait lui-même le texte final afin de se sentir confortable dans la livraison. Toutefois, il me les soumettait toujours pour approbation, afin de s'assurer que le message rejoignait nos objectifs de relations publiques.

Sans contredit, l'objectif de modifier la perception populaire à l'égard de Pierre Péladeau fut atteint et les sondages scientifiques l'ont clairement démontré. Du paria que M. Péladeau était en 1990, il est passé à l'entrepreneur de l'année, dès 1993, et ce, dans plusieurs sondages.

Mais ce n'était pas toujours facile à gérer. M. Péladeau était un personnage explosif, enflammé. Il ne faisait rien à moitié. Au début, il était très indépendant, parce qu'il l'avait toujours été. Je passais mon temps à m'assurer, non pas que M. Péladeau s'adapte à la stratégie, mais plutôt que celle-ci se fonde en lui. C'était à différents niveaux. Avant, ses défauts dominaient continuellement le personnage public. Après, ce sont ses bons côtés qui ressortaient. Il a fallu changer de cap et mettre en valeur ses qualités. C'est ce que j'appelle « Relations publiques 101 ».

Je me suis appliqué à comprendre comment Pierre Péladeau réagissait au quotidien. Il avait un côté humain méconnu du public et qui disparaissait pratiquement sous le poids de toutes les rumeurs qui circulaient depuis toujours à son sujet.

Il avait des défauts connus par à peu près tout le monde. M. Péladeau avait un caractère bouillant. Lorsqu'il se fâchait, il ne passait pas inaperçu. Il pouvait avoir des accès de rage où il perdait pratiquement la maîtrise de lui-même. Mais avec lui, c'était noir ou c'était blanc. Il n'y avait pas d'équivoque. Je peux dire cependant que, dans la majorité de ces moments-là, ses mots dépassaient véritablement sa pensée pour une raison que je n'arrive toujours pas à comprendre. Des collègues m'ont récemment expliqué que le fait d'être un ancien alcoolique y jouait pour beaucoup. Ce n'est pas parce que l'on est sobre que le tempérament change.

M. Péladeau avait aussi des qualités qui étaient tout à son avantage. Il aimait les gens et il adorait se retrouver devant le public. Il faut dire que certaines personnes se comportaient avec lui comme si elles étaient devant une véritable vedette de cinéma. On voulait lui serrer la main et obtenir, dans bien des cas, un autographe. Il parlait à tout le monde. En public, il était heureux. M. Péladeau pouvait discuter de n'importe quel sujet avec n'importe qui, à condition que cette personne ne soit pas guindée ou snob. Il ne privait personne de conseils si on lui en demandait.

Dire qu'il était séduisant semble un énorme mensonge, car il était doté d'un physique qui ne l'avantageait pas. Pourtant, il savait charmer et il savait également séduire. On finissait par oublier son apparence. Il maniait l'art de plaire comme pas un. Il aimait rire et il adorait les histoires et les anecdotes. Il n'en oubliait jamais. Par contre, sa mémoire lui faisait souvent défaut lorsqu'il fallait se souvenir de noms, de dates ou de détails précis, mais jamais il n'oubliait une bonne histoire. Tous ces bons côtés faisaient de lui un orateur hors pair. Il était énergique, vaillant et discipliné.

Aussi, en raison de ce que l'on m'avait dit sur lui, particulièrement à propos de son tempérament, je m'attendais à travailler avec une personne rigide qui ne lâchait jamais sa proie. Au contraire, il louvoyait et il savait s'adapter à la situation présentée devant lui. Il était tout à fait à l'opposé de cette autre rumeur affirmant qu'il décidait très tôt dans la bataille des gestes qu'il allait faire. Pierre Péladeau était comme un journaliste. Il attendait jusqu'à la dernière minute avant de casser les œufs et de finaliser sa décision. Dans un sens, il évitait de faire fausse route trop tôt dans l'exercice et d'avoir à corriger son tir après l'évolution des négociations. En véritable prédateur, il sautait sur la proie juste avant l'attaque. C'est une pratique journalistique que l'on m'a apprise au début de ma carrière : attendre jusqu'à l'heure de tombée pour fournir le plus d'informations possible dans le récit.

En vérité, le succès de la campagne de relations publiques ne fut pas vraiment dû à mon travail, mais plutôt au talent de communicateur naturel que possédait Pierre Péladeau. L'événement de *L'Actualité* avait été un accident de parcours. Comme il me l'avait dit au début de mon mandat, il s'était « relâché ». De tous les clients avec lesquels il m'a été donné de travailler, il est celui qui avait le plus grand talent de communicateur.

Il n'acceptait jamais de s'asseoir sur une victoire ou sur un bon coup. Il avait soif d'action et de travail. Il n'est pas étonnant qu'il soit resté à la barre de son empire jusqu'à sa mort. Avec Pierre Péladeau, il fallait toujours aller plus loin et plus haut. Si les invitations à prononcer des conférences diminuaient, il en suggérait. J'avais peine à l'imaginer à la retraite ou inactif. Il l'avait souvent dit : sa plus grande hantise était de se retrouver paralysé, incapable de bouger, et de dépendre des autres pour vivre son quotidien.

J'étais toujours impressionné de constater l'émerveillement qu'il manifestait lorsqu'il était dans les stations de télévision. Je l'accompagnais toujours pour répondre à des entrevues ou participer à des émissions et il avait l'air d'un enfant dans une salle de jeu. Il arpentait les couloirs attenants aux studios de Radio-Canada et il se sentait chez lui. Il parlait aux techniciens, aux autres invités de l'émission, il s'intéressait à tout le monde. Il était parfaitement à l'aise sur un plateau de tournage, comme s'il avait toujours fait ce métier.

Il adorait aussi les petites attentions qui étaient anodines pour d'autres. Un jour, il était l'invité de Michel Viens, qui animait l'émission du matin à la télévision de Radio-Canada. À la fin de l'entrevue, on lui a remis une tasse portant le logo de l'émission. Il m'a dit alors :

« Ça, c'est un beau cadeau. Je vais l'utiliser pour prendre mon café chez moi le matin. »

* * *

Une autre activité qui n'était pas courante lorsque j'ai commencé au 13e étage de Quebecor était la revue de presse quotidienne. J'ai commencé l'exercice à la mort de Robert Maxwell, retrouvé en mer le 5 novembre 1991. Pour tenir Pierre Péladeau informé de ce que les médias écrits avaient raconté sur la disparition de Maxwell, je lui envoyais les articles publiés dans tous les grands journaux. Il avait bien aimé ce survol de l'actualité. Comme c'était un lecteur très vorace de tout ce qui se publiait en général, lui préparer une revue de presse quotidiennement lui économisait du temps et le tenait à jour sur les nouvelles qui le concernaient ou l'intéressaient.

À partir de ce moment, et jusqu'à la fin, j'arrivais au bureau à sept heures tous les matins, pour dépouiller les journaux et préparer le document.

Certains titres ou sujets attiraient souvent son attention alors qu'ils m'avaient complètement échappé, car le lien avec lui n'était pas toujours évident. Il n'hésitait pas à me proposer d'ajouter ou d'enlever certains articles dans les éditions à venir.

* * *

Un beau matin, au milieu de l'année 1996, il arriva dans mon bureau avec un article du *Journal de Montréal* dressant le portrait de plusieurs personnalités canadiennes ayant reçu la Légion d'honneur. Dans ce groupe, il y avait Denise Bombardier, qui avait reçu le titre de chevalier de la Légion d'honneur en 1993.

« Qu'est-ce que tu penses de ça, toi : Denise Bombardier qui a reçu la Légion d'honneur ? »

Ce n'est pas qu'il jugeait qu'elle ne la méritait pas, mais c'était plutôt là sa façon indirecte de manifester son désir de la recevoir aussi. Il était un entrepreneur québécois qui avait sauvé les imprimeries Didier [6] de la faillite et il procurait du travail à des milliers de Français. La Légion d'honneur aurait signifié pour lui que son succès avait dépassé les frontières, et qu'il se retrouvait dans le même clan que Paul Desmarais. Un tel honneur aurait prouvé à Pierre Péladeau qu'il était lui aussi un citoyen du monde.

J'ai contacté Loïc Hennekinne, ambassadeur de France à Ottawa à l'époque, et j'ai demandé des renseignements sur la façon d'obtenir la Légion d'honneur. J'ai amorcé la rédaction du dossier et son fils Pierre-Karl, qui était en poste à Paris, le termina. Le 10 avril 1997, le président de la République française nomma Pierre Péladeau officier de la Légion d'honneur. Le communiqué de presse officiel de l'ambassade explique :

« Cette haute distinction est attribuée à M. Péladeau en reconnaissance de sa participation active à l'économie française et au développement des relations franco-canadiennes. Cet honneur

---

6.   Voir le chapitre suivant.

souligne également le rôle de mécène de M. Péladeau qui a su pro-mouvoir l'art lyrique et soutenir les artistes français. »

Lorsqu'il a reçu le communiqué de presse, il s'est précipité dans mon bureau pour me montrer le texte en me remerciant de mon travail, car il savait que j'avais lancé le processus. Il refusa de recevoir l'honneur à Ottawa, préférant attendre et se rendre à Paris pour l'obtenir directement des mains du président de la République. Une date avait été fixée provisoirement vers le début de 1998. Mal-heureusement, Pierre Péladeau est mort avant. La Légion d'hon-neur fut remise à sa famille à titre posthume.

M. Péladeau a reçu plusieurs honneurs au Québec, au Canada et même aux États-Unis. Mais il me confiait, peu de temps avant sa mort, que l'honneur qui le touchait le plus était celui de la Légion d'honneur.

Il voyait dans ce titre la preuve d'une reconnaissance internatio-nale qui lui faisait un peu oublier les luttes locales et parfois cruelles menées par ses semblables au Québec. La France venait lui confirmer que, au fond, il n'était pas vraiment un paria, et que si on le qualifiait ainsi c'est qu'on le connaissait mal.

Chapitre 5

Apprivoiser la bête

Il ne fallait pas s'attendre à ce qu'un personnage du calibre de Pierre Péladeau soit simple. C'était un prédateur. Il avait le défaut de ses qualités. Il était passionné, mais cette passion pouvait « brûler » son entourage.

Pour travailler avec un phénomène de cette taille, il faut d'abord le définir et apprendre à le connaître. M. Péladeau lui-même agissait ainsi lorsqu'il voulait conclure une affaire. Il laissait de côté l'aspect financier pour avoir d'abord une évaluation humaine des intervenants dans une situation donnée. J'ai dû faire la même chose avec Pierre Péladeau. Évaluer le personnage.

Il était à la hauteur de ce que l'on peut attendre d'un homme comme lui. Une personne d'une énergie supérieure, avec un très fort instinct, comme s'il était doté d'un pouvoir magique avec une sorte de don de clairvoyance en complément. Il sentait les gens et les situations comme une bête perçoit le danger et flaire la nourriture.

Même s'il paraissait brouillon à première vue, il était très structuré. Il disait d'ailleurs :

« Si tu n'es pas capable de faire ton travail au bureau entre 9 heures et 5 heures, c'est que tu es mal organisé. »

Ce fut la première remarque qu'il me fit sur la question des horaires de travail lorsque je commençai à son service. Lorsqu'il voyait Pierre-Karl travailler jusqu'à 23 heures, il lui répétait sans répit :

« Pierre-Karl, c'est de la mauvaise organisation. Tu vas t'épuiser. Il faut que tu sois capable de travailler de façon organisée et que tu sois capable de déléguer. »

Il comprenait qu'il ne sert à rien de courir jusqu'à l'essoufflement pour réussir. Il suffit d'être organisé.

Mon horaire de travail était relativement structuré. Le matin, je lui présentais d'abord sa revue de presse et, tout au cours de la journée, je lui envoyais des notes sur des questions et des sujets courants.

Comme ma philosophie en matière de relations publiques consistait à ne rien changer du personnage, je l'encadrais. Le problème, avec Pierre Péladeau, c'est que c'était noir ou blanc. Il était difficile de le convaincre de changer son opinion première, mais il était possible de le faire si on lui donnait la preuve en béton de l'argument avancé.

M. Péladeau était un hypersensible. Il réprouvait les gens mal habillés, malpropres ou qui avaient l'air négligés ; cela le dérangeait. Il aimait la discipline, la classe. Il fallait le savoir et éviter de se présenter au bureau en jeans et en t-shirt. Il préférait l'élégance. Son bureau en était la représentation parfaite : il y avait toujours des fleurs, de la musique et de superbes toiles.

Autant il pouvait parfois faire le clown et être grivois, autant il détestait la vulgarité chez les autres. Il aimait les femmes. Pourtant on ne l'aurait jamais vu dans un établissement de danseuses nues. Lors d'un spectacle à la Place des Arts où l'artiste féminine était habillée de manière provocante, il avait quitté la salle à l'entracte, et m'avait dit avoir trouvé la présentation de mauvais goût.

Une femme qui se présentait au bureau avec une jupe trop courte attirait certainement son attention, mais parce qu'il détestait son accoutrement. Même chose chez les hommes. Pour lui, la façon de se vêtir et le soin que l'on apportait à son apparence reflétait l'âme de la personne. S'il voyait quelqu'un d'allure « délabrée », c'était synonyme de délabrement intérieur. Sa mère, probablement, lui avait inculqué ces valeurs et cette discipline. C'était un homme érudit qui cherchait toujours l'excellence.

Pierre Péladeau était véritablement une bête au sens figuré, et il inspirait souvent la peur. J'ai abordé le personnage d'une façon presque naïve. Je respectais Pierre Péladeau, mais, contrairement à beaucoup d'autres, je n'ai jamais éprouvé de crainte face à lui. Je lui accordais beaucoup d'admiration et de loyauté, mais il existe une différence fondamentale entre avoir peur de quelqu'un et le respecter.

S'il me demandait quoi que ce soit, je me devais toujours de répondre aux attentes que je pouvais créer chez lui. Si je faisais une promesse qui touchait le travail, je devais m'assurer de « livrer la marchandise » dans les délais, et selon ses attentes. J'ai toujours tout mis en œuvre pour ne jamais le décevoir sur ce point. Je ne suscitais jamais chez lui de faux espoirs.

Bien qu'intime avec lui, j'ai tout de même conservé mes distances. Un peu comme en équitation, je me ménageais un périmètre, un espace entre la bête et moi. C'est le secret du succès dans un poste qui exige d'être en relation quotidienne avec un personnage aussi important. Garder ses distances.

Ma vie privée restait privée. Souvent, nous abordions des questions personnelles, mais, de façon réciproque, nous avons toujours respecté notre intimité.

Je le vouvoyais, et il m'appelait monsieur Bernard.

M. Péladeau avait besoin de son territoire. Il n'aimait pas être seul, mais, à certains moments, il lui fallait sa « bulle ». J'ai compris que le personnage réagissait en contradiction avec lui-même. Souvent, les gens sont contrariés par des problèmes de toutes sortes. Si, un matin, il entrait de mauvaise humeur, il valait mieux l'ignorer et ne pas essayer de s'imposer à lui. Je le laissais retrouver sa bonne humeur lui-même. Je n'essayais pas de vivre pour lui. J'étais accessible et disponible, mais je n'essayais jamais de le maîtriser.

Je n'ai jamais considéré les sautes d'humeur de M. Péladeau comme une atteinte personnelle. Il lui arrivait souvent d'être aigri ou d'humeur susceptible. Je l'ai déjà vu critiquer le travail de certains employés et constaté que celle ou celui qui venait de subir ses foudres fondait en larmes en disant : « Il ne m'aime pas. »

Les critiques de M. Péladeau n'avaient généralement rien à voir avec la personne elle-même. La clé du succès lorsque l'on veut amadouer une telle bête réside dans le stoïcisme : « ne rien prendre personnel », comme le dit ce populaire anglicisme. Il faut réagir froidement et factuellement.

M. Péladeau était exigeant et critiquait parfois sans retenue. Ses paroles dépassaient très souvent sa pensée. Il n'y avait pas de filtre. Il ne mettait jamais de gants blancs pour dire ce qu'il avait en tête. Alors, pour survivre à ce genre de comportement en tant qu'adjoint, il faut se bâtir une armure.

Il était très attentif aux employés. S'il voyait quelqu'un qui n'avait pas l'air d'être dans son assiette, et pourvu qu'il ne s'agisse pas du travail, il prenait le temps de s'informer pour essayer d'aider la personne. Mais si le travail était en cause, il était sans pitié, et parfois rude.

Si quelqu'un avait des problèmes de santé, M. Péladeau lui témoignait une grande attention. Par contre, si une personne se plaignait de l'état de sa vie ou était défaitiste, il ne l'appréciait pas et n'offrait aucun soutien. Si l'on montrait du courage, il aidait, mais il fallait s'aider soi-même. Il n'y avait rien de gratuit avec lui. Une mentalité de perdant l'exaspérait au plus haut point.

Il m'est arrivé quelques fois de tourner les talons quand j'arrivais à la porte de son bureau et que je constatais sa mauvaise humeur évidente. Je m'en retournais et j'attendais que l'orage se dissipe. Si je le voyais maussade un matin, je changeais de côté dans le corridor. Il faut savoir composer avec les émotions d'un personnage de la sorte.

Pierre Péladeau était près de ses sentiments, c'est la raison pour laquelle il pouvait sentir les autres avec une rare acuité.

Il n'était pas méchant. À la fin d'une journée qui avait mal commencé, il pouvait venir me voir et m'offrir des billets pour un concert ou un événement, mais il ne s'excusait pas souvent.

Une particularité de Pierre Péladeau est qu'il ne s'apitoyait jamais sur lui-même, sur ses malaises, ses problèmes, son sort. Se plaindre n'était pas une option dans son mode de vie. Durant les mois qui ont précédé l'accident du 2 décembre 1997, jamais Pierre Péladeau ne nous a mentionné qu'il avait des malaises. Il ne voulait surtout pas qu'on lui manifeste de la pitié.

* * *

Son sixième sens ne le trompait pas souvent. En 1994, lorsque Pierre Bourque s'est présenté contre Jean Doré à la mairie de

Montréal, peu de gens avaient misé sur lui. Dès le départ, M. Péladeau avait acquis la conviction que M. Bourque serait élu avec une forte majorité. Il le connaissait un peu. Il trouvait que c'était un homme simple avec de bonnes idées. Dès le départ, il remplissait les critères de base qui plaisaient à M. Péladeau.

Pierre Péladeau fut l'un des rares hommes d'affaires importants à appuyer Pierre Bourque. Il m'avait demandé de trouver un attaché de presse pour son candidat. Les grandes agences de relations publiques étaient déjà engagées auprès d'autres candidats, ou ne voulaient tout simplement pas s'associer à celui que l'on voyait perdant à l'avance. Pierre Bourque a finalement remporté les élections du 6 novembre 1994 en raflant 39 des 51 sièges de conseillers. C'était un balayage totalement imprévu, sauf par M. Péladeau. M. Bourque avait cependant gagné sans attaché de presse...

Le nouveau maire invita M. Péladeau à siéger au Comité des sages, mis sur pied en 1995, mais ce dernier refusa l'invitation. Selon lui, ce genre de regroupement serait inefficace. Je fus délégué pour assister aux rencontres à sa place. M. Péladeau avait eu, cette fois encore, un flair particulier, car, quelques mois plus tard, le comité en question fut dissous. Le maire Bourque avait été critiqué pour la création du comité; on disait qu'il y avait conflit d'intérêts entre la communauté des affaires et l'Hôtel de Ville.

* * *

M. Péladeau détestait la défaite. C'était vrai aussi dans ses loisirs.

Lors des Internationaux de tennis masculin du Canada tenus à Montréal le 30 juillet 1995, nous étions invités dans une loge V.I.P. donnant directement sur le court central, à proximité des joueurs. Je l'accompagnais avec Carole Gagné, de la Banque nationale. Il avait également invité une de ses amies pour l'occasion. Il faisait un soleil de plomb. Le match opposait André Agassi et Pete Sampras.

M. Péladeau adorait le tennis. Il avait été un bon joueur jadis. Il disait avoir déjà occupé le premier rang dans des championnats provinciaux. Je l'ai cru, mais je n'ai jamais vu le trophée...

M. Agassi se présenta avec son bermuda multicolore, ses bas noirs, ses cheveux descendant jusqu'aux épaules, son chandail bariolé. Il était tout à fait fidèle à l'image de *bum* qui avait fait parler de lui autant que de ses victoires. La réaction de M. Péladeau ne se fit pas attendre. Il s'est mis à déblatérer contre André Agassi :

« As-tu vu s'il est mal peigné, mal habillé ? Il est même pas rasé. Si ça a du bon sens de se présenter à un tournoi attriqué comme ça. En plus, il joue comme un pied. Il ne gagnera jamais. N'essayez pas de me convaincre du contraire. Si je le dis, je le sais. Le tennis, je connais ça ! »

Il faut dire que l'amie qui l'escortait ce jour-là avait mentionné naïvement qu'elle avait un faible pour M. Agassi. Les femmes en général le trouvaient d'ailleurs beau garçon et séduisant. Elle y est allée d'une remarque en ce sens qui n'a fait que jeter de l'huile sur le feu.

M. Péladeau vantait Pete Sampras, et il disait qu'à l'opposé de son rival il avait « *ben* de l'allure ». C'était un gagnant. M. Péladeau l'avait décidé : Sampras l'emporterait haut la main et en deux sets. Malheureusement, non seulement le *bum* était très en forme lors de ce match, mais, au bout du premier set, il était nettement en avance. M. Péladeau était de plus en plus contrarié. J'ai essayé de le calmer un peu, de lui changer les idées pour qu'il puisse apprécier le tournoi et oublier qu'Agassi avait les cheveux longs.

M. Péladeau commençait à être de mauvaise humeur et il tentait d'expliquer la performance de son poulain.

« C'est parce qu'il n'est pas en forme aujourd'hui. Il fait très chaud aussi. Il est sûrement malade. Il ne lance que des *balounes* », répétait-il.

Brooke Shields, alors la fiancée d'André Agassi, était dans les gradins, à quelques rangées de notre loge.

« Avez-vous vu, monsieur Péladeau, que la belle Brooke Shields est ici ? Nous pourrions prendre une photo tout à l'heure, après le match. Ce serait publié dans *Le Journal de Montréal*. »

Lui qui avait toujours l'œil pour regarder une belle femme ne tourna même pas la tête.

« Non, non ! Laisse faire », trancha-t-il sans appel.

Au début du deuxième set, Pete Sampras était pratiquement battu. Plus le match avançait, plus c'était évident.

À la pause suivante, M. Péladeau s'est levé et a dit à son amie :
« On s'en va ! »

Carole Gagné et moi les avons raccompagnés jusqu'à sa voiture. Nous n'avons pas pu faire la photo avec Brooke Shields...

* * *

Il est de notoriété publique que si *Le Journal de Montréal* alloue une place importante aux artistes, le cahier des sports en est un autre pilier. L'arrivée de Jacques Beauchamp, par exemple, fut un des éléments marquants dans l'ascension du quotidien ; sa contribution a amené un grand nombre de lecteurs, fidélisant une clientèle importante pour les années à venir. Si M. Péladeau avait bien compris que les sports étaient importants pour son journal, il n'en était pas un adepte pour autant, à l'exception du tennis.

Lors d'un Grand Prix de formule 1 organisé à Montréal le 11 juin 1995 par Normand Legault, j'avais obtenu quatre bons billets, très rares, pour le week-end de la course. J'ai décidé d'inviter M. Péladeau à m'y accompagner, mais il n'avait aucun intérêt pour la course automobile. J'ai bien tenté de lui décrire l'événement, l'ambiance, l'énergie, combien il était particulier de s'y trouver. Malgré tous mes arguments, il préférait laisser sa place à d'autres qui apprécieraient. Il ne comprenait pas non plus que je m'intéresse à une telle activité.

Il détestait aussi le hockey et il assistait très rarement à un match, ce qui ne l'empêchait pas d'admirer Maurice Richard. Il allait parfois au Forum, mais pour y accompagner des clients plutôt que pour voir la partie de hockey. Je n'oublierai jamais l'inauguration du Centre Molson (maintenant le Centre Bell), le 16 mars 1996, alors que quand nous avons été invités dans une loge d'entreprise. Paul Martin était parmi les personnalités présentes, de même qu'André Bérard, ainsi que d'autres d'invités de même calibre. Tout le monde était captivé par le match de hockey. M. Péladeau est arrivé en retard, vers la fin de la première période. En entrant dans la loge, il n'a même pas jeté un coup d'œil en direction de la patinoire ni des gradins où avaient pris place les invités de marque. Il s'est précipité vers le buffet pour admirer les plats et féliciter l'hôtesse pour la présentation.

À la fin de la partie, on lui a offert un superbe livre sur l'ancien Forum et le nouveau temple du hockey. C'est à peine s'il l'a feuilleté. Il s'est contenté d'un : « Ah ! c'est bien beau ! » et, devant la personne qui venait de le lui offrir, il s'est tourné vers une adjointe de Quebecor présente pour la soirée, en disant :

« Tiens, tu le donneras à ton fils ! »

* * *

Pierre Péladeau prétendait n'avoir peur de rien. J'ignore s'il disait la vérité ou s'il bluffait, mais je dois avouer qu'il a très rarement admis qu'il avait eu peur dans une situation donnée. Il mentionnait souvent son séjour à Philadelphie à l'époque du *Philadelphia Journal*. Les bureaux du quotidien étaient situés dans un des quartiers de la ville réputés dangereux. On le déconseillait aux touristes. Même des habitants des secteurs voisins ne s'y aventuraient jamais.

M. Péladeau devait le traverser à pied pour se rendre au journal et il croisait régulièrement des « armoires à glace ». Il ne s'est jamais fait attaquer. Il disait que si l'on regarde un agresseur potentiel droit dans les yeux en le défiant, il n'osera jamais nous toucher ; qu'il ne fallait jamais laisser paraître un signe de faiblesse, même si on était inférieur en nombre ou en gabarit.

Pierre-Karl a dû mettre en pratique ce principe bien malgré lui. M. Péladeau racontait que, à l'issue d'une soirée en compagnie de camarades de classe, Pierre-Karl était rentré avec un œil au beurre noir. Une bagarre avait éclaté et un groupe avait décidé de s'en prendre à lui. Non seulement il était amoché, mais il avait peur de se faire tabasser à nouveau par les membres de la bande. M. Péladeau lui aurait alors rétorqué :

« Tu vas y retourner, tu vas choisir le plus gros de la bande et tu vas lui taper dessus. Autrement, ils ne te respecteront jamais, et ils vont continuer de s'en prendre à toi. Si tu suis ce conseil, on va t'admirer, et le reste du groupe va se sauver en peur ! »

L'histoire ne dit pas comment s'est déroulée la suite.

* * *

M. Péladeau aimait les armes à feu. Il en possédait quelques-unes. Il avait déjà participé à trois safaris et il avait chassé à de nombreuses reprises. Mais, avec l'âge, il avait abandonné ce genre d'activité.

Pour sa sécurité personnelle, il gardait toujours une arme à feu à portée de la main, dans sa chambre à coucher. Au bureau, nous avions discuté des mesures supplémentaires à prendre pour le protéger dans toute éventualité. La société changeait et les criminels étaient de plus en plus audacieux et voraces. Je lui avais parlé des risques de kidnapping, par exemple, pour quelqu'un comme lui. Il y avait une alarme chez lui, mais était-ce suffisant ? Comme il gardait toujours son revolver à portée de la main, un ancien Lugger 45, il disait qu'il n'y avait rien à craindre. Son entourage y pensait plus que lui-même. Il ne voyait pas qui pourrait s'en prendre à lui.

Un beau jour, à l'automne 1996, il s'aperçut que le Lugger avait disparu. Il l'a cherché dans toutes les parties de sa maison. Nous n'avons jamais su ce qu'il en était advenu. Il recevait continuellement, et sa maison était pratiquement une auberge où régnait un va-et-vient constant d'invités. Il aurait été difficile de trouver le coupable.

Il a donc décidé de s'acheter une autre arme à feu. Pour se faire conseiller et guider, il a communiqué avec le chef de police Jacques Duchesneau, son ami, pendant qu'il était en service à la direction du SPCUM. Ils se parlaient très souvent. D'ailleurs, plus tard, les deux hommes ont discuté d'une possibilité d'emploi chez Quebecor pour le policier, mais rien ne s'est jamais concrétisé. J'ai eu l'occasion d'être l'invité du chef Duchesneau sur le mont Royal à quelques reprises pour monter les chevaux de la cavalerie. Raynald Corbeil était l'agent de police qui nous accompagnait dans ces balades du samedi matin : une expérience unique et très agréable.

Après quelques semaines de conversations et d'échanges sur le choix de l'arme qu'il voulait, nous nous sommes rendus au centre de tir de la police avec M. Duchesneau afin de s'assurer que tout était conforme, et que tout fonctionnait.

M. Duchesneau était un véritable tireur d'élite. En tout cas, il nous impressionnait. Il pouvait tirer avec n'importe quel calibre. L'avocate Claire Brassard, qui négociait pour un emploi chez Quebecor, avait été invitée par Pierre Péladeau à nous accompagner à la séance de tir. Lorsque M. Péladeau a sorti son pistolet, un modèle Backup DA de calibre 380, le chef de police l'a trouvé plutôt inoffensif. L'objet était assez petit pour tenir dans une poche de veston.

« Votre revolver va faire mal, mais en dedans de dix pieds, lui expliqua Duchesneau. Plus loin que ça, le bandit ne sentira pas grand-chose. »

En outre, M. Péladeau était de plus en plus frêle vers la fin de sa vie, et il avait de la difficulté à armer le revolver. Même en position, je ne suis pas certain qu'il ait pu le tenir assez solidement pour avoir le temps de viser et de tirer de façon précise.

M. Duchesneau lui conseilla :

« Si vous surprenez un voleur chez vous, essayez de discuter avec lui en premier avant de tirer ! »

* * *

En octobre 1995, Pierre Péladeau a été invité à prononcer une conférence au lac Mégantic. Comme il avait promis d'y être, il aurait fallu un tremblement de terre pour l'empêcher de s'y rendre. Et encore ! Même s'il se déplaçait presque toujours en hélicoptère depuis qu'il avait fait l'acquisition d'un tel véhicule, l'orage qui s'abattait sur la province cette journée-là ne pouvait l'en dissuader. Il ne voulait pas manquer à sa promesse. Le pilote de l'époque, François Desgagnés, avait parlé au pilote du jet de Quebecor à l'aéroport de Dorval, et on lui avait fortement déconseillé de piloter par ce temps. Plusieurs avions privés qui étaient sur le terrain de l'aéroport n'avaient pas eu la permission de décoller.

Mais M. Péladeau avait décidé que nous irions au lac Mégantic. Il a convaincu Desgagnés de décoller et de nous y conduire. Il faut dire que ce pilote n'avait pas froid aux yeux, s'il faut en croire les aventures qu'il racontait au sujet de ses acrobaties.

Le premier hélicoptère de Quebecor était un modèle de brousse, un BELL IV modèle 206-B. On l'avait acquis en juillet 1992 de Donohue. Le personnel de direction s'en servait pour aller vérifier l'évolution des coupes de bois. Ce n'était pas un modèle tout confort. Il avait été modifié afin de transporter des passagers, mais à l'origine il avait été construit pour une tout autre vocation. C'était comme un tracteur volant converti en limousine. Il était même arrivé qu'une portière s'ouvre en plein vol. Il fallait vraiment s'assurer d'avoir sa ceinture de sécurité attachée en tout temps.

Le soir de la tempête, la robustesse de l'appareil se fit valoir. J'étais du périple avec M. Péladeau et deux adjointes de Quebecor, division des hebdomadaires. Ce fut mémorable. Nous n'y voyions rien. À un certain moment, M. Desgagné a même dû se poser pour réviser son plan de vol et contourner les secteurs les plus mouvementés. À aucun moment, tout au long du voyage, M. Péladeau n'a manifesté de peur ou de panique. Les autres membres du groupe étaient littéralement figés sur leur siège. Je n'avais jamais été ballotté de la sorte en plein vol de toute ma vie. Il n'y avait pas de répit. Pour nous rassurer, M. Péladeau n'arrêtait pas de parler, nous racontant des histoires drôles qui ne nous faisaient pas rire. Il a épuisé son répertoire, et nous, nous étions toujours crispés, accrochés à nos bancs comme à une bouée de sauvetage.

Je n'ai pas de mots pour décrire notre soulagement lorsque nous avons finalement atterri à Mégantic. Je pense que le pilote aussi était content.

M. Péladeau est allé prononcer sa conférence heureux d'avoir respecté son engagement. Nous avons passé la nuit sur place. Il n'était pas question de revivre l'expérience de la tempête une autre fois. Le lendemain, il faisait un soleil radieux. Aucun vent, aucun nuage. Le retour fut d'un calme angélique et M. Péladeau n'a pas prononcé un seul mot de tout le voyage.

* * *

Le tracteur volant devenait vraiment trop inconfortable, trop bruyant et trop vieux. Lorsque, en décembre 1994, Denis Lacroix, de Bell Helicopter Textron, a communiqué avec M. Péladeau pour lui présenter un tout nouveau modèle, un Longranger IV 206-L4, il s'est laissé tenter. Cette fois, il avait une limousine volante. Aucune comparaison possible avec l'appareil de Donohue. Il n'y avait pas de danger que les portes s'ouvrent en plein vol. L'intérieur était même aménagé pour que l'on puisse y travailler. La mécanique était un produit des plus récentes technologies aéronautiques, avec des moteurs plus puissants et, surtout, plus silencieux. Les voyages s'effectuaient en moins de temps et plus agréablement. J'ai d'ailleurs participé à la négociation de l'achat de cet appareil. La transaction a bien failli avorter, car M. Péladeau refusait de payer un supplément de 10 000 $ pour un instrument de vol de nuit. Ce montant était pourtant peu significatif, car l'hélicoptère valait plus d'un million de dollars.

M. Péladeau disait que c'était vraiment le seul luxe qu'il se permettait, la seule excentricité. Il adorait voyager en hélicoptère. C'était son dada, qui le rendait presque euphorique. Chaque fois, il était émerveillé comme un enfant de pouvoir survoler ainsi la province. Il regardait toujours attentivement le tracé et il voulait savoir quel était le village, la ville, la route, la rivière ou encore le parc que nous apercevions au-dessous de nous.

Comme de raison, il voulait aussi partager cette passion avec son entourage. Chaque fois qu'il recevait des gens chez lui, les invités avaient droit à une randonnée au-dessus de sa résidence dans les Laurentides, histoire d'apprécier son nouveau jouet. Il offrait régulièrement l'hélicoptère à ses amis lors de déplacements à l'extérieur pour des événements spéciaux ou des rencontres ponctuelles.

Le 29 janvier 1996, il fut invité à l'assermentation de Lucien Bouchard comme Premier ministre. Il décida de se rendre à Québec par son moyen transport habituel. Sachant que le maire Pierre Bourque devait s'y rendre aussi, il lui téléphona pour lui proposer de profiter du vol avec lui.

Pierre Bourque se laissa presque convaincre, mais finalement il insista pour y aller par ses propres moyens. Il avait déjà une limousine et un chauffeur prévus à cet fin, et il avait aussi des documents dont il voulait prendre connaissance dans la tranquillité de l'autoroute 20. M. Péladeau répéta qu'il devait venir avec lui. « La limousine, ce n'est plus à la mode, c'est fatigant, c'est trop long. » Mais M. Bourque s'en tint à son plan.

Tout le monde fut à l'heure à Québec et l'assermentation eut lieu de même que la réception prévue. Entre-temps, la température changea subitement et il commença à neiger. Le pilote de l'hélicoptère vint nous aviser qu'il n'avait pas obtenu l'autorisation de décoller, à cause des mauvaises conditions atmosphériques. M. Péladeau se mit en colère. Surtout qu'il avait donné rendez-vous à 20 heures le soir même à une amie qu'il avait promis d'accompagner à un concert, au Centre Pierre-Péladeau. Comme c'était une promesse, je savais qu'il était impensable de tenter de le convaincre de demeurer à Québec pour la nuit.

Je lui proposai de demander aux autres invités provenant de Montréal s'il ne s'en trouvait pas un qui retournait en voiture dans la métropole. Je lui proposai Pierre Bourque.

Il réfléchit un instant et, un peu gêné, me dit :

« Va lui demander. »

M. Bourque accepta d'emblée avec un grand sourire satisfait. Il en a aussi profité pour le narguer tout le long du retour avec des remarques du genre : « Comment vous trouvez ma limousine, monsieur Péladeau ? »

Nous sommes arrivés au concert à l'heure, mais tout juste. M. Bourque a poussé la plaisanterie jusqu'à descendre du véhicule en premier, devant le Centre, pour lui ouvrir la portière et l'aider à sortir.

Le pauvre pilote d'hélicoptère a dû attendre au lendemain pour obtenir le feu vert et rapatrier son véhicule à Montréal.

Plusieurs pilotes ont été à son service à tour de rôle. Ce n'était pas toujours une sinécure d'être le pilote de Pierre Péladeau. Il attendait d'eux qu'ils soient aussi chauffeurs de voiture et qu'ils puissent également effectuer quelques courses. Mais il s'en trouvait qui acceptaient d'assumer les deux rôles. Les pilotes ont souvent une assez haute opinion d'eux-mêmes. Il leur est impensable d'être un « chauffeur » sur la route, peu importe pour qui. Mais M. Péladeau, qui savait séduire et charmer lorsqu'il voulait un service, avait réussi à amadouer ceux qui sont restés à son service.

* * *

M. Péladeau aimait se comparer à ses homologues en affaires et il en citait plusieurs en exemple lors de ses conférences. La liste comportait surtout des nationalistes comme lui, pour ne pas dire uniquement. Toutefois, il mentionnait les gens avant tout parce qu'il considérait qu'il existait une ressemblance entre eux et lui.

Pierre Péladeau n'en était cependant pas à une contradiction près. Il pouvait changer d'idée envers quelqu'un pour des raisons parfois très anodines.

Ainsi, il avait pendant longtemps critiqué Laurent Beaudoin parce qu'il était fédéraliste. Il n'éprouvait aucune admiration pour lui, et il ne se gênait pas pour le dire.

Un jour, il est arrivé avec l'idée d'avoir son jet privé. D'autres entreprises en avaient, alors pourquoi pas Quebecor ? Le modèle qui l'intéressait était fabriqué par Bombardier. En bon nationaliste, lui qui avait toujours insisté sur le fait « qu'au Québec, il faut acheter québécois », choisir la compagnie Bombardier allait pratiquement de soi, malgré Laurent Beaudoin.

Avant d'acquérir un tel appareil, il faut cependant s'assurer qu'il possède bien toutes les qualités désirées, et que sa performance est à la hauteur des attentes et des besoins. Des vols d'essai sont donc programmés selon un horaire et un itinéraire précis pour un même appareil que l'on montre à différentes personnes. Le jet convoité par M. Péladeau se rendait en Floride, ensuite en Georgie, au Texas et au Mexique avant de revenir à son point de départ.

Un délai d'une semaine s'écoulerait entre le vol de départ et le retour, mais M. Péladeau y avait vu une occasion de passer une semaine en Floride. Entre-temps, un problème l'obligea à rentrer d'urgence à Montréal. Il n'avait pas d'autre solution que de trouver un vol régulier. Quelqu'un téléphona à Laurent Beaudoin pour l'informer de ce changement.

Spontanément Beaudoin lui dit que c'était inutile de se donner tout ce mal.

« J'envoie mon jet personnel pour vous ramener. »

M. Péladeau fut profondément touché par un geste aussi généreux. Il accepta ce service, mais les effets de ce geste dépassèrent ce qu'aurait pu attendre M. Beaudoin en retour. En effet, par la suite, et ce jusqu'à sa mort, M. Péladeau vanta les mérites du bâtisseur de Bombardier dans ses conférences, ou chaque fois que l'occasion se présentait. Cette anecdote reflète bien les paradoxes de M. Péladeau. Autant il avait été irrité par les convictions politiques de M. Beaudoin, autant le geste spontané que celui-ci avait fait pour le dépanner l'avait séduit. Ils ont travaillé ensemble par la suite pour la création de la Chaire de l'entrepreneurship. Quant à leurs divergences idéologiques, ils évitaient tout simplement de parler de politique.

Dans ses discours, Pierre Péladeau mentionnait également Jean Coutu, le plus célèbre pharmacien du Québec. M. Péladeau utilisait l'exemple des débuts de Jean Coutu pour montrer à son auditoire qu'il est possible de réussir en affaires « même si on démarre avec une claque et une bottine ». Pour M. Péladeau, il était important d'élever en modèle des gens comme Coutu pour que les jeunes puissent s'en inspirer et pour les pousser à travailler sans répit afin de réussir. Il y avait aussi André Chagnon et André Bérard qui figuraient parmi ses favoris.

De M. Chagnon, il disait que c'était un bâtisseur important. Chagnon avait réussi à devenir le plus important cablôdistributeur sur tout le territoire du Québec, et il avait également réussi à acquérir des parts de marché et un savoir-faire à l'étranger. « Et, au départ, c'était un électricien, mais il avait des rêves et des idées. » Ni M. Chagnon ni M. Péladeau n'ont songé à un seul moment que l'un finirait par acquérir l'autre.

Il est impossible d'oublier André Bérard dans la liste de ses préférés. M. Péladeau disait souvent qu'ils étaient tous les deux des frères de tempérament tellement ils agissaient, pensaient et vivaient de la même façon. Ils n'avaient pas du tout la même stature, mais M. Péladeau se plaisait à dire qu'ils avaient été fabriqués dans le même moule.

Un autre homme d'affaires qu'admirait M. Péladeau était Jean-Marc Brunet. Il considérait ce dernier comme un fils spirituel et il ne manquait jamais une occasion de vanter ses mérites. Brunet est le fondateur de la chaîne JMB Le Naturiste, un réseau de plus de 165 centres de santé et de produits naturels, fondé en 1968.

* * *

S'il était fidèle en amitié, M. Péladeau s'attendait à la réciprocité. Si l'un de ses amis se trouvait être également un employé et qu'il acceptait une offre d'emploi ailleurs, M. Péladeau était littéralement déchiré comme si on l'avait trahi. Il ne parvenait pas à surmonter cette perte, car pour lui c'était une véritable séparation.

Gérard Cellier, maintenant décédé, avait travaillé plusieurs années à Quebecor et comptait parmi les amis intimes de Pierre Péladeau. Un jour, il vint lui annoncer qu'il avait accepté l'offre de la Délégation du Québec à New York. C'était le genre d'offre que l'on ne pouvait refuser, et Cellier avait longuement hésité, sachant la peine qu'il ferait à son ami, mais il avait opté pour ce nouveau défi.

M. Péladeau parla souvent de la blessure que ce départ lui avait causé.

« Il m'a trahi ! » disait-il.

Quelques années plus tard, Gérard Cellier revint au Québec. Il resta sans travail pendant quelque temps, jusqu'à ce que la situation devienne intenable. M. Péladeau l'appela alors et il lui offrit de revenir dans le giron de Quebecor. Il lui trouva rapidement un poste dans la division de la distribution. Mais la chimie ne s'effectua pas. Cellier n'était pas à l'aise ou n'arriva pas à se sentir à la hauteur des attentes. Il quitta encore une fois Quebecor pour se retirer modestement dans le Sud, où il possédait un voilier. Malheureusement, il était atteint d'une maladie incurable à laquelle il succomba quelque temps plus tard. M. Péladeau s'est occupé de faire rapatrier à ses frais la dépouille dans son jet privé. Ce geste m'a touché, car il démontrait sa grande générosité humaine.

Celui qui fut son ami le plus proche, le plus intime et le plus précieux fut incontestablement Tony Calandrini. Italien d'origine, il avait émigré au Québec dans l'espoir de démarrer une entreprise et de mieux gagner sa vie que dans son pays natal. Le Québec était une terre promise pour ces immigrants qui avaient presque tout perdu pendant la Seconde Guerre mondiale.

Calandrini s'intéressait aux journaux et il créa une société de distribution qui s'associa ensuite au réseau des Messageries Dynamiques. M. Péladeau lui vouait une confiance aveugle. Il écoutait toujours religieusement ses conseils. Ses opinions, son point de vue, ses impressions et son intuition lui étaient précieux. Lorsque Tony Calandrini se présentait dans une réunion au nom de Pierre Péladeau, on l'écoutait comme si le grand patron était là.

Il s'était écoulé deux semaines après que j'eus commencé mon travail d'adjoint au président de Quebecor lorsque M. Péladeau m'invita à venir passer une soirée à sa résidence de Sainte-Adèle. Il me présenta Tony Calandrini comme son ancien chauffeur.

Immédiatement après le souper, M. Péladeau se leva en disant qu'il allait se retirer dans sa chambre pour se relaxer, qu'il était en retard dans ses lectures.

« Restez ici et regardez le hockey. »

Il est allé dans sa chambre en laissant sa porte entrebâillée. J'ai regardé le hockey avec M. Calandrini qui, tout au long du match, me posait des questions à propos de tout et rien, de sujets personnels et moins personnels ; il me parlait de M. Péladeau, de mes sentiments à son égard et de ma perception de Quebecor. C'était comme si un père passait une entrevue à un prétendant de sa fille. Je me suis finalement rendu compte qu'il me jaugeait afin de savoir si j'étais vraiment à la hauteur et si je possédais les qualités essentielles pour être accepté par Quebecor et par les Péladeau.

À la fin de la troisième période de hockey, Tony s'est levé en ouvrant les bras et m'a dit :

« Monsieur Bernard, bienvenue dans la famille. »

Chapitre 6

Comment s'intégrer à la famille ?

Se joindre à une grande entreprise et travailler aux côtés du président est au départ un défi difficile. Imaginez la tâche lorsque l'entreprise est familiale, que les enfants y travaillent activement, que chacun a son ego et son caractère, et qu'en plus les enfants sont de trois mères différentes.

Peu avant sa mort, Pierre Péladeau a accordé une entrevue au journaliste Pierre Maisonneuve, en août 1997. Vers la fin de l'entretien au cours duquel « Monsieur P. » se livrait sans détour, et dans le style direct qu'on lui connaissait alors, M. Maisonneuve lui demanda ce qu'il souhaitait pour ses enfants dans une société comme la nôtre.

« Je leur souhaite ce qu'ils voudront faire de leur vie. Ils auront les outils pour le réaliser, s'ils le veulent. Mais s'ils s'installent à se regarder le nombril et à dépenser leur argent ici et là pour des caprices, c'est leur choix, et ils en assumeront les conséquences. »

Longtemps avant son décès, plusieurs sommités du milieu des affaires s'inquiétaient déjà de la succession de Pierre Péladeau. Le Québec et d'autres provinces avaient déjà été témoins de l'effritement de plusieurs fortunes et entreprises familiales, par exemple les Steinberg et les Eaton, pour ne nommer que ceux-là. Une fois l'ancêtre disparu, il peut se révéler ardu pour les enfants de perpétuer le succès de leurs parents.

Dès mon arrivée au sein de Quebecor, je n'ai jamais voulu prendre une place qui n'était pas la mienne, et j'ai toujours essayé de ne pas m'immiscer dans les affaires de la famille. Mais comme il

s'agissait d'une entreprise familiale, je devais aussi parfois considérer la présence des enfants dans la gestion de l'image de Pierre
Péladeau. J'ai toujours eu de très bons rapports avec les enfants, qui
étaient très respectueux envers tous les employés. Cependant, leur
père se servait parfois des employés pour passer des messages à ses
enfants, et c'est là que les choses se compliquaient.

La famille de Pierre Péladeau est composée de sept enfants
issus de trois unions différentes. Érik est l'aîné de la famille ; il est
né le 24 mars 1955. Isabelle est née le 12 septembre 1958, Pierre-
Karl, le 16 octobre 1961 et Anne-Marie, le 29 avril 1965. Ces
quatre enfants sont du premier mariage avec Raymonde Chopin.
Esther est né le 13 juin 1977 et Simon-Pierre le 24 décembre 1978
(soit la même date que celle de la mort de son père). Ces deux
enfants sont issus du deuxième mariage, avec Line Parisien. Enfin,
Jean est né le 22 janvier 1991, soit quelques mois avant mon entrée
en fonction chez Quebecor. Sa mère est Manon Blanchette.

Dès le début en 1991, j'avais établi une relation très amicale
avec Érik, et nous avons même assisté à quelques événements
ensemble, dont un concert rock de Brian Adam au Vieux-Port de
Montréal. Le concert était organisé par mon ami Nick Carbone,
producteur bien connu.

Isabelle n'était pas très souvent présente aux bureaux de la rue
Saint-Jacques à mes débuts chez Quebecor, mais elle s'est occu-
pée plus tard de la section des magazines Publicor, sur la rue
Bates.

Pierre-Karl avait 30 ans à mon arrivée dans l'entreprise. Nous
n'étions pas particulièrement proches, mais nous avions un intérêt
en commun dont nous discutions devant la machine à café : *The
Wall Street Journal*.

Je m'entendais très bien avec les trois aînés en poste chez Quebecor, mais je n'avais de contacts quotidiens qu'avec Érik.

Les enfants aînés de Pierre Péladeau ont dû composer avec un
père qui n'était pas très présent pour eux. Il l'avoua lui-même en
entrevue à quelques reprises vers la fin de sa vie. Il se prêtait cependant à toutes sortes de jeux avec son dernier-né, surnommé « Petit
Jean ». Il allait même jusqu'à s'asseoir par terre, chose qu'il n'avait
jamais faite avec les plus âgés. Il faut dire qu'à l'époque de ses pre-

miers mariages, il était continuellement plongé dans le travail, et il souffrait d'alcoolisme.

À la grande déception de son père, Isabelle ne manifestait pas beaucoup d'intérêt pour Quebecor. Il était fier de sa fille, et il aurait voulu qu'une femme prenne une place importante dans la gestion de l'entreprise. Elle ne s'intéressait pas non plus à la musique classique. Érik et Pierre-Karl étaient donc les deux seuls enfants présents et actifs aux bureaux de Quebecor situés au 612 de la rue Saint-Jacques Ouest.

À l'image de son père, Érik se faisait un devoir d'aller saluer les employés tous les jours et de s'informer de leur travail, de leur santé et de leur famille. Il essayait de les motiver et d'être à leur écoute. Pierre-Karl était plus à l'écart, plus réservé avec les employés.

Érik n'avait pas le côté frondeur de son père, il était plus posé. On retrouvait chez Pierre-Karl une énergie et une ambition qu'il tenait sûrement de son père. On aurait dit que Pierre Péladeau se retrouvait dans ses deux fils aînés, mais d'une façon différente, comme si chacun avait hérité d'une moitié du « patriarche ».

J'ai remarqué très tôt chez Pierre-Karl la vivacité de son intelligence, son énergie et le charisme hérité de son père. Lorsqu'il entrait dans une pièce, il en imposait. Il possédait un magnétisme remarquable. Érik était moins impressionnant, mais il était par contre plus généreux et plus cordial.

Mes premières années en compagnie des enfants furent plutôt calmes et agréables. Il n'y a jamais eu de confrontation ni de discorde entre eux et moi. Mais, au fur et à mesure que l'entreprise grandissait et que Pierre Péladeau vieillissait, les héritiers devenaient plus aguerris en affaires, plus sûrs d'eux-mêmes. Pierre-Karl s'imposait de plus en plus. Graduellement, il affrontait son père à propos des techniques de gestion apprises à l'université et qu'il voulait appliquer à Quebecor. C'était la nouvelle mentalité opposée à l'ancienne.

J'ai alors commencé à me trouver très souvent en situation de conflit. J'avais promis à Pierre Péladeau d'être loyal et je considérais qu'il était mon mentor au sein de l'entreprise. Je ne me sentais pas à l'aise dans cette lutte de pouvoir et je tentais de gérer la situation de la meilleure façon possible.

Lorsque j'avais conçu le plan de communication, les enfants n'en faisaient pas vraiment partie. Il fallait bien sûr être conscient qu'ils dirigeraient l'entreprise très bientôt, mais Pierre-Karl voulait être moins exposé, moins médiatisé que son père. Érik se prêtait volontiers aux exercices de relations publiques, mais l'empire Quebecor demeurait l'œuvre de Pierre Péladeau, son fondateur.

* * *

Érik Péladeau avait un projet bien à lui qu'il voulait implanter dans l'entreprise de son père : Quebecor Multimédia. Si Pierre Péladeau utilisait volontiers le papier dans ses communications, Érik était plus moderne ; il s'intéressait aux nouvelles technologies et suivait leur évolution de très près. En 1993, les nouveaux médias, Internet en tête, en étaient à leurs balbutiements. Si Internet était une découverte pour la majorité des utilisateurs lorsqu'il fut rendu accessible à tous, c'était déjà un outil usuel pour les chercheurs et les universitaires. Une fois démocratisé, le réseau et ses produits inhérents connurent un taux de croissance spectaculaire, jusqu'à 300 % par année. C'était un incontournable pour les visionnaires. Mais les entreprises privées tardaient à emboîter le pas. Beaucoup venaient à peine de s'habituer à communiquer par télécopieur. Le réseau Internet était donc loin de les intéresser, à ce moment du moins.

Bien avant d'autres chez Quebecor, Érik avait anticipé le potentiel, non seulement du réseau, mais également de ce qu'il pouvait susciter quant au développement. Déjà, des géants de l'industrie des télécommunications investissaient des sommes colossales pour exploiter ce nouveau jouet d'une utilisation simple, mais d'une intégration complexe.

Si Internet semblait une bonne affaire pour Érik Péladeau, son père n'en était pas pour autant convaincu. En entrevue pour le magazine *Le 30* [1], il l'avait exprimé en peu de mots :

« Internet, Internet. Tout le monde me parle d'Internet, mais personne n'est capable de m'expliquer ce que ça fait au juste. »

---

1.   « Pourquoi j'aime Internet », Liz Morency, Magazine *Le 30*, octobre 1996.

Pierre Péladeau n'était pas non plus très porté sur les gadgets, à l'opposé d'Érik, qui était à l'affût de toutes les nouveautés électroniques. Voulant faire une surprise à son père, Érik avait équipé la maison de Sainte-Adèle d'une chaîne stéréo dernier cri, avec commande à distance, programmation multiple, etc. M. Péladeau, après plusieurs tentatives, arrivait à peine à repérer l'interrupteur. Finalement, il continua d'utiliser l'ancienne chaîne avec laquelle il était familiarisé.

Érik avait élaboré un plan pour créer une division multimédia chez Quebecor. Comme c'était le cas pour de nombreuses autres entreprises, le produit multimédia se révélait pratique, mais coûteux à implanter. De plus, on ne voyait toujours pas comment le rentabiliser. M. Péladeau savait faire des profits avec un magazine, un journal ou une imprimerie, mais il ne voyait pas Quebecor réaliser des profits avec ce nouveau média. Il n'était pas très favorable à l'idée d'investir du capital de risque.

Selon M. Péladeau, une entreprise devait s'en tenir aux domaines qu'elle connaissait le mieux ; il donnait en exemple que Quebecor ne se lancerait pas dans la vente d'automobiles, car l'entreprise n'y connaissait rien. On peut se poser cette question : Si le grand patron avait été vivant et en poste, aurait-il favorisé l'acquisition de Vidéotron ? Il avait pourtant acheté Télévision Quatre-Saisons, mais pour lui, une chaîne de télévision était un journal électronique.

Pierre Péladeau avait répondu à Érik qu'il préférait attendre un peu, observer les mouvements du marché du multimédia encore en développement, pour ensuite mieux calculer son investissement dans ce domaine, et ce, même si les coûts devaient s'avérer plus élevés. Érik savait que le prix de développement serait moindre si l'on investissait immédiatement, mais son père restait prudent.

Quebecor prit finalement la décision d'investir et finit par créer la filiale Quebecor Multimédia, en octobre 1994.

Érik venait souvent me voir pour l'aider à convaincre son père de s'intéresser aux hautes technologies. Qu'il s'agisse du rapport annuel ou des communications de presse, Érik voulait me sensibiliser à l'utilisation des nouveaux médias pour faire de Quebecor un acteur de premier plan dans ce domaine. Ce n'était pas facile pour moi, car d'une part mon patron préconisait l'ancienne économie, alors que d'autre part Érik voulait que Quebecor se tourne vers la nouvelle.

Longtemps, le seul terminal branché à Internet dans l'édifice du 612 de la rue Saint-Jacques Ouest se trouva dans le bureau d'Érik. Les choses ont bien changé depuis.

Ce n'est jamais facile de convaincre le président d'une grande entreprise d'adopter de nouvelles pratiques, qu'il soit votre père ou non. Prenons par exemple, le téléphone cellulaire. Il y eut une époque, pas si lointaine, où certains dirigeants d'entreprise en interdisaient l'utilisation par les employés. Aujourd'hui, même le personnel de soutien en possède un.

Quebecor a dû faire face comme toutes les autres entreprises aux difficultés de s'ouvrir aux nouveaux médias, mais, d'une certaine façon, Érik était un visionnaire.

M. Péladeau se laissa finalement convaincre. Durant la dernière année de sa vie, il commença à utiliser le réseau Internet. Il prit même des leçons particulières pour apprendre à naviguer. Le jour même de son décès, un cours de formation figurait à son agenda.

* * *

Isabelle Péladeau et moi avons toujours eu de bons rapports. Elle disait qu'il y avait dans la vie des choses plus importantes que de faire des affaires. Elle n'avait pas vraiment une vocation de femme d'affaires, de prédatrice, comme son père l'aurait espéré. J'ai eu peu de contact avec elle au sujet de la gestion. Elle s'occupait des magazines de la division Publicor. Elle me téléphonait parfois pour transmettre des messages à son père, mais comme le bureau était situé sur la rue Bates, à Outremont, elle était un peu à l'écart. Elle n'était pas aussi près des employés de Quebecor au siège social que l'étaient Érik et Pierre-Karl, ses deux frères. Si son bureau avait été situé sur la rue Saint-Jacques, elle aurait peut-être pris une part plus active à l'action. Elle n'a jamais vraiment réussi à prendre sa place dans le giron de la direction de Quebecor.

Ses projets de magazines faisaient l'objet de discussions entre elle et son père. Elle avait une ligne téléphonique directe avec M. Péladeau pour la gestion de ses magazines. Si Isabelle avait eu le désir de s'imposer au sein de la direction, elle aurait pu être pré-

Bernard Bujold était le plus jeune journaliste
à l'Assemblée nationale du Québec lorsqu'il a connu
Pierre Péladeau en 1977.

Bernard Bujold a tenté de convaincre
Pierre Péladeau de relancer le quotidien
L'Évangéline lors de sa fermeture en 1982.

Pierre Péladeau aimait entretenir des contacts avec les gens qui communiquaient avec lui. Bernard Bujold a commencé à lui écrire dès les années 1980.

René Lévesque est l'homme politique que Pierre
Péladeau a le mieux connu et aimé. Il considérait
Lévesque comme le seul politicien qui n'ait jamais
essayé de s'enrichir grâce à son poste.

Brian Mulroney a été l'avocat qui a négocié la première convention collective
du *Journal de Montréal*. Péladeau et Mulroney se respectaient beaucoup.
(Photo de Brian et Mila Mulroney, 4 septembre 1984.)

Bernard Bujold est devenu l'un des attachés de presse de Brian Mulroney
à la suite de l'élection de 1984. Cela lui a permis de se rapprocher
de Pierre Péladeau sur le plan amical.

La publication par le magazine *L'Actualité* en date du 15 avril 1990
d'une entrevue de Pierre Péladeau a causé tout un bouleversement
au sein de la communauté juive du Canada. Ce fut la crise de 1990.

L'actualité

1001, boul. de Maisonneuve ouest, Montréal (Québec) H3A 3E1 (514) 845-5141

Le 11 mai 1990

Monsieur Bernard Bujold
C.P. 5253, Succ. B
Montréal   (Québec)
H3B 4B5

Cher monsieur,

Pour des raisons qui sont désormais de notoriété publique, la plupart des lettres reçues par L'actualité suite à l'article sur monsieur Pierre Péladeau ont perdu de leur nécessité. Nous avons dû reconnaître, en effet, que les citations qui les avaient suscitées n'étaient pas exactes. Nos lecteurs ont été induits en erreur, et L'actualité s'est déjà publiquement excusé auprès d'eux, mais nous tenions cependant à accuser réception de votre lettre.

Notre intention n'était nullement hostile au sujet de l'article; mais la profondeur de la réaction à plusieurs de ses propos était difficile à prévoir.

Avec l'expression de mes sentiments les meilleurs.

Jean Paré
Rédacteur en chef

JP/sm

Maclean Hunter
Publications du Québec

L'éditeur de *L'Actualité*, Jean Paré, a refusé de publier le texte de Bernard Bujold en regard à l'affaire Péladeau.

Bernard Bujold a quitté la politique en 1988 pour devenir consultant
en communication. Il proposa plusieurs projets à Pierre Péladeau
qui en accepta quelques-uns avant de lui offrir
un poste permanent en 1991.

Pierre Péladeau fut très réceptif à la proposition de Bernard Bujold de lancer une campagne de relations publiques démontrant le dynamisme de Quebecor en tant que créateur d'emplois.

Pierre Péladeau aimait les belles voitures,
et les conduire lui procurait un immense plaisir.

L'appellation du Centre Pierre-Péladeau ne fut pas acceptée d'emblée
par certains professeurs de l'UQÀM,
et il a fallu les convaincre.

Enregistrement d'un message d'appui à une cause philanthropique.

Pierre Péladeau s'est impliqué dans la communauté et a participé à plusieurs campagnes de levée de fonds à titre de porte-parole ou de président d'honneur.

Au début de l'automne de 1991, Bernard Bujold est officiellement devenu adjoint au président et attaché de presse du président de Quebecor.

Bernard Bujold et ses deux enfants, David et Stéphanie, devant l'édifice du *Journal de Montréal*.

Pierre Péladeau prononçant une conférence
devant des gens d'affaires du Québec.

Pierre Péladeau aimait voyager en hélicoptère. Selon lui, c'était l'expérience physique la plus intéressante qu'il ait jamais vécue. Le premier hélicoptère, un Bell 206-B, n'était pas toujours très sûr, et l'une des portes s'était déjà ouverte avant que l'appareil ne se soit posé au sol.

Bernard Bujold a participé à la négociation de l'achat du second hélicoptère utilisé par Pierre Péladeau, un Longranger IV 206-L4.

Magazine *Commerce*, septembre 1992.

Magazine *Canadian Business*, novembre 1993.

Au cours des années, plusieurs magazines et publications ont reconnu la valeur de Pierre Péladeau en tant qu'entrepreneur et ils lui ont consacré des articles et des reportages.

Magazine *Le Lundi*,
mars 1996.

Magazine *Forces*,
nº 115, 1997.

Pierre Péladeau était très fier du *Journal de Montréal*.
C'était, selon ses dires, le fleuron de son empire.

sidente. Très intelligente, très humaine et enjouée, elle préférait un mode de vie moins mouvementé, moins envahi par le travail. Elle savait déléguer, et elle faisait confiance à son monde.

Nous nous sommes rencontrés à quelques reprises pour assister à des spectacles, pour partager un repas en compagnie de son père ou pour collaborer à différents projets ponctuels. Le dernier projet fut la préparation d'un album-souvenir publié après le décès de M. Péladeau [2]. Elle m'avait demandé de l'aider pour certains détails. Ce cahier spécial fut publié une semaine après les funérailles de son père, et ce fut un exploit d'édition que de pouvoir l'amener aussi rapidement en kiosque, soit dès le début de janvier 1998.

* * *

Durant mon passage chez Quebecor, le travail de Pierre-Karl Péladeau portait surtout sur les imprimeries. Nous avons collaboré à quelques reprises lorsqu'il donnait des conférences lors de divers événements où il remplaçait son père. Les gens étaient contents lorsque Pierre-Karl y allait, parce qu'il était charismatique. Je lui préparais une ébauche de texte, comme je le faisais pour son père, et il y ajoutait sa touche personnelle. Ses discours étaient très différents de ceux de son père. Autant M. Péladeau aimait les anecdotes et les citations humoristiques, autant Pierre-Karl préférait un style méthodique contenant des descriptions techniques et complexes.

Pierre-Karl était brillant et très compétent en finances. S'il n'avait pas été chez Quebecor, il serait probablement aujourd'hui haut placé dans une maison de courtage.

Dès 1990, il avait commencé à se faire remarquer avec l'acquisition de l'imprimerie américaine Maxwell Graphic payée 510 millions de dollars. Pierre-Karl avait mené les négociations de main de maître. Son père avait beaucoup apprécié sa performance dans ce dossier. En 1993, il amorçait la modernisation des techniques d'impression du *Journal de Montréal*. À la même époque, il déclenchait

---

2.   *Hommage à un grand bâtisseur, Pierre Péladeau*, Éditions Publicor, 1998.

un *lock-out* dès le début des négociations pour le renouvellement de la convention collective des pressiers, le 19 septembre 1993 plus précisément. Il n'y avait jamais eu de grève depuis la fondation du quotidien. Le journal fut imprimé à Cornwall, en Ontario, durant tout le temps du conflit. Pierre-Karl avait imposé ses idées, mais celles-ci étaient peut-être un peu trop radicales au goût de son père.

Par la suite, il fut nommé à la présidence d'Imprimerie Quebecor Europe, division créée spécialement pour renforcer la présence de l'entreprise de l'autre côté de l'Atlantique. C'est à partir de ce moment que Pierre-Karl fit sa marque dans la gestion et les négociations. Pendant son séjour en France, il a conclu des ententes d'envergure, ajoutant des acquisitions importantes à l'empire Quebecor. En voici une liste sommaire :

– décembre 1993 : acquisition d'une participation majoritaire dans le Groupe Fécomme ;
– février 1995 : acquisition du groupe Jean Didier, en France, et de Hunter Print, en Angleterre ;
– janvier 1996 : acquisition de l'actif du groupe Jacques Lopès, deuxième imprimeur offset en importance en France, et acquisition d'une participation de soixante pour cent dans Inter-Routage, société française spécialisée en reliure et en distribution.

Pierre-Karl fit des Imprimeries Quebecor le premier imprimeur commercial en France. Son plus gros coup fut celui de l'acquisition du groupe Jean Didier. Pierre-Karl demeura en France jusqu'au décès de son père en 1997.

En ce qui concerne les autres enfants, Anne-Marie, Esther, Simon-Pierre, je n'ai pas eu de rapports étroits avec eux. Ils étaient plus jeunes, encore aux études ou ne travaillaient pas dans l'entreprise familiale ; du moins pas encore.

Jean, le cadet, est né en 1991, année où j'ai commencé à Quebecor. « Petit Jean » était pratiquement le fils de Quebecor et de tout l'entourage immédiat de Pierre Péladeau. Il venait très souvent nous visiter au 13e étage lorsqu'il passait les vendredis après-midi en compagnie de son père, avant de regagner le domicile de Sainte-Adèle pour le week-end. Germaine Miron, réceptionniste et sœur du poète Gaston Miron, jouait à la gardienne plus souvent qu'à son tour, comme d'autres membres du personnel. Il fallait voir « Petit Jean » courir partout sur l'étage et amuser tout le monde : un véritable rayon de soleil. Il parlait aux secrétaires, leur racontait des histoires.

Nous avons pour ainsi dire vu grandir « Petit Jean ». Son père fut très présent dans la vie de l'enfant, et il jouait souvent avec lui. On aurait dit qu'il rajeunissait de vingt ans dans ces moments-là.

Même si, parfois, on aurait cru voir un grand-père qui gâte son petit-fils[3], M. Péladeau considérait pour la première fois de sa vie qu'il agissait en père. Il fallait le voir tenir « Petit Jean » par la main et se faire appeler papa.

Enfant, « Petit Jean » affichait déjà une intelligente très vive. Il fallait l'entendre raconter ses blagues et ses devinettes. Un jour, par exemple, à une secrétaire qui lui relatait une anecdote pour le distraire, Jean demanda :

« Est-ce que tu as vu ça à la télé ou si tu l'as lu dans *Le Journal de Montréal* ? »

Il avait une présence d'esprit incroyable, et il était imprévisible et imaginatif. Un jour, à l'occasion d'un pow-wow à Sainte-Adèle[4], M. Péladeau avait eu l'idée d'organiser des jeux amicaux dans le but d'amasser des dons pour l'une de ses activités caritatives. Il y avait, entre autres, une course de canards jaunes, en plastique bien sûr. L'idée était de miser sur un des canards participants. Une fois la course terminée, les jouets ont été déposés dans un baril à l'écart, et les invités se sont occupés à autre chose.

Quelle ne fut pas notre surprise d'apercevoir « Petit Jean » se promener dans la foule en train de revendre les canards à deux dollars pièce. Non seulement il en avait eu l'idée, mais il avait en plus entraîné le petit Maxime, fils de Daniel Pilon, acteur bien connu. Ce dernier rougit presque de gêne de voir son fils à l'œuvre avec le fils de son hôte. Pour sa part. M. Péladeau n'était pas peu fier de voir son fils, encore si jeune, avoir l'esprit d'entrepreneurship. Lorsque nous nous sommes rendu compte du stratagème, il avait

---

3. M. Péladeau avait 65 ans à la naissance de Jean.
4. Chaque été, M. Pierre Péladeau organisait une fête gigantesque où il recevait plusieurs centaines de personnes en plein air. Le pow-wow fait partie des annales de Quebecor.

déjà vendu une quinzaine de canards. M. Péladeau n'avait cesse de dire : « Il suit les traces du père ! »

Le 2 décembre 1994, M. Péladeau termina son mandat à titre de chancelier de l'université Sainte-Anne à Pointe-de-L'Église, en Nouvelle-Écosse. Durant la période des fêtes, il devait assister à la cérémonie de passation des pouvoirs. Comme il avait l'habitude d'amener « Petit Jean » avec lui à l'occasion d'événements de toutes sortes ou même de concerts de musique classique, il décida que son fils serait du voyage.

M. Péladeau devait prononcer un discours de fin de mandat avec tout le protocole qu'une telle allocution impose. Mais « Petit Jean » en avait décidé autrement. Pas du tout familiarisé avec le protocole, il ne cessait de courir devant l'estrade comme s'il était à un spectacle pour enfants et poussa l'audace jusqu'à prendre le photographe officiel pour cible dans un jeu de cape et d'épée. Le pauvre photographe ne pouvait pas trop se plaindre et il dut manœuvrer avec dextérité et diplomatie pour accomplir son travail. Pour empirer la chose, Pierre Péladeau décida de lancer une blague pour dérider les dignitaires et, s'adressant au recteur, il dit :

« Monsieur le recteur, vous avez un *ben beau casse !* » en voulant parler du chapeau officiel.

Après l'événement, et avant de rentrer à Montréal avec le jet privé, M. Péladeau nous demanda d'arrêter chez un pêcheur de qui il acheta du homard vivant pour chacun des membres du petit groupe qui revenait avec lui, dont Luc Saint-Arnaud, alors directeur de la Banque Nationale Westminster du Canada. C'était une façon de se faire pardonner son indiscipline de l'après-midi.

Tout le monde aimait « Petit Jean ». Il était irrésistible. Il a hérité des talents de séducteur de son père. Je suis convaincu que Jean Péladeau occupera un jour une place importante dans l'empire Quebecor, s'il le désire, bien entendu.

En conclusion, après avoir rencontré et côtoyé les enfants du clan Péladeau pendant près de sept ans, je dirais qu'ils forment une famille comme les autres, mis à part leur colossal héritage à gérer.

* * *

Si les relations avec les membres de la famille Péladeau étaient faciles, celles avec l'autre famille, c'est-à-dire avec les cadres de Quebecor, exigeaient une autre forme de diplomatie et une autre manière d'aborder les choses. Il est évident que dans une entreprise, qu'elle soit familiale ou non, il y a des luttes de pouvoir. Il existe toujours des ambitieux comme dans une course, et que le meilleur gagne !

La même situation existait chez Quebecor et à mon arrivée, en 1991, j'ai pu me rendre compte que j'aurais beaucoup de travail à faire sur ce plan. Dans les premiers mois, lors de la rédaction du rapport annuel, le vice-président aux finances me confia :

« Tu sais, Bernard, ici il faut savoir juger et parfois il sera peut-être préférable de contester les recommandations de Pierre Péladeau. Les décisions du grand patron sur le plan financier ne seront peut-être pas toujours adéquates et il vaudrait mieux que tu me fasses alors confiance plutôt qu'à lui. »

Provenant d'un collègue de travail, cette remarque m'inquiétait. Je me demandais comment une telle compétition pouvait exister chez une personne en qui M. Péladeau avait confiance. Il est évident que lorsqu'un président prend une décision et que les faits montrent qu'il ne le devrait pas, il faut bien sûr l'en prévenir. Mais la loyauté est essentielle.

Dès que j'ai commencé à travailler avec M. Péladeau, j'avais établi dans mon esprit que je lui devais une loyauté sans faille. C'était essentiel si je voulais respecter une éthique professionnelle et établir un lien de confiance solide avec mon patron. Pierre Péladeau m'avait ouvert les portes de son entreprise en plus de m'accueillir dans sa maison, il était sûr et certain que je serais loyal à son égard.

J'ai répondu au vice-président des finances qu'il se trompait sur ma description de tâches, que mon travail consistait avant toute chose à protéger Pierre Péladeau au chapitre des relations publiques et qu'il n'y avait aucune place pour l'hypocrisie sous quelque forme que ce soit. Inutile de dire que par la suite mes rapports ont été plutôt tièdes avec mon collègue des finances. Je n'ai jamais remis en question mon choix, mais il m'a ensuite occasionné quelques accrochages.

Pierre Péladeau avait une stratégie particulière lorsqu'il embauchait des cadres à la direction de son entreprise. Il se faisait toujours un devoir de trouver deux experts dans le secteur de la filiale à gérer, mais deux personnes de tempérament opposé avec un style de gestion différent. Nécessairement, ces deux personnes s'entendaient plus ou moins et essayaient de se surpasser l'une et l'autre. M. Péladeau s'assurait ainsi de conserver une forme de prise sur la filiale ; il était assuré qu'aucun des deux directeurs ne pourrait être paresseux ni lui jouer dans le dos. Cette stratégie astucieuse, qui n'apparaissait pas dans les guides de ressources humaines, en valait néanmoins bien d'autres, croyait-il.

Aux imprimeries Quebecor, j'ai pu constater que cette forme de rivalité existait entre Charles Cavell et Jean Neveu. Il ne faut pas se méprendre ou interpréter ces propos au premier degré. Les dirigeants des filiales ne s'aimaient pas nécessairement sur le plan personnel ou ne partageaient pas toujours les mêmes endroits de vacances, mais ils travaillaient toujours pour le succès de l'entreprise.

La personnalité de M. Cavell et celle de M. Neveu étaient diamétralement opposées.

M. Cavell est arrivé chez Quebecor avec l'acquisition des Imprimeries Ronalds Printing de Bell en 1988. Il avait une vision très américaine des affaires où priment efficacité et rentabilité. J'aimais beaucoup travailler avec lui. Notre première collaboration fut la publication du rapport annuel de 1991. À l'époque, les Imprimeries Quebecor n'étaient pas cotées en Bourse, les activités étaient donc intégrées dans le rapport de la société de portefeuille. Cavell m'expliquait dans un style direct comment devrait se rédiger la section concernant les imprimeries. Il savait ensuite se retirer et déléguer. Sa façon de travailler me rappelait mon expérience avec des gens comme Brian Mulroney. Ils expliquent ce qu'ils veulent, délèguent le travail et ne jugent que sur le produit final. Pas sur son mode de réalisation.

Jean Neveu était toujours poli, gentil, mais nous n'avions pas « d'atomes crochus », comme le dit l'expression.

En 1992, la société Imprimeries Quebecor a été officiellement inscrite en Bourse et cette filiale a commencé à prendre une place très importante dans l'empire Quebecor. On a alors élaboré une stratégie particulière à cette division, à tous les paliers, y compris les communications.

Charles Cavell était un visionnaire capable d'imposer ses idées et de mener une acquisition d'une façon admirable et surtout efficace. Il était exigeant envers les autres, mais encore plus envers lui-même. Il a beaucoup développé le marché anglophone, et M. Péladeau disait que si Quebecor y avait fait une percée importante c'était grâce à l'apport de l'anglophone Charles Cavell. Ce dernier était celui qui, à la direction, comprenait le mieux le marché américain et canadien-anglais. Selon moi, Charles Cavell est le grand responsable du succès de Quebecor World en Amérique du Nord.

D'autres gens de haut calibre sont passés chez Quebecor, dont Daniel Paillé qui fut probablement l'un des cadres les plus dynamiques que j'aie côtoyés. Il agissait à titre de vice-président au développement et il relevait directement de Pierre Péladeau. Entre lui et moi les choses ont « cliqué » dès le début et nous sommes devenus de bons amis. Cette amitié a duré jusqu'à son départ ; il avait décidé de faire le saut en politique au grand désappointement de M. Péladeau qui l'adorait. Mais il a respecté son choix et l'a toujours appuyé.

Nommé ministre de l'Industrie et du Commerce dans le gouvernement du Parti québécois, Daniel Paillé s'est fait remarquer par la création du plan Paillé dont l'objectif était d'aider les entrepreneurs à démarrer leur projet. Le gouvernement garantissait un prêt pouvant atteindre 50 000 $. Avec le recul, je me demande si Daniel Paillé ne s'est pas inspiré de son expérience chez Quebecor pour mettre en place un tel plan.

Du côté des journaux hebdomadaires, j'ai beaucoup aimé travailler avec Michel Saint-Louis qui avait déjà été un collaborateur de Conrad Black, magnat de la presse. M. Saint-Louis avait le mandat de donner un nouvel élan aux hebdomadaires de Pierre Péladeau. J'aimais bien son style et il aurait très certainement obtenu beaucoup de succès chez Quebecor. Malheureusement, il n'a pas eu l'occasion de mettre de l'avant ses plans de redressement ; à cause de problèmes de santé, il a dû se retirer prématurément. Michel Saint-Louis avait connu M. Péladeau en 1973 lors de la grève de *La Voix de l'Est* à Granby. Il avait demandé l'appui du fondateur du *Journal de Montréal* pour lancer un nouveau quotidien dans la région de Granby. M. Péladeau avait refusé en disant que jamais plus il ne lancerait un journal pour en remplacer un autre en grève. Il avait vécu l'expérience avec *Le Journal de Montréal* et il avait presque dû abandonner la partie au retour de *La Presse* tellement le tirage avait baissé. Seul son acharnement avait sauvé *Le Journal de Montréal* de la fermeture, car même ses principaux conseillers l'avaient incité à tourner la page et à investir son profit ailleurs.

Après s'être rétabli, Michel Saint-Louis est allé dans la région de Gatineau où il dirige aujourd'hui l'hippodrome d'Aylmer. J'ai eu le plaisir de le revoir lors d'événements équestres tenus à Montréal, car nous avons en commun une passion pour les chevaux.

La période que M. Saint-Louis a passée chez Quebecor a tout de même été suffisante pour qu'il m'apprenne plusieurs détails au sujet de la personnalité de Conrad Black. J'étais ainsi plus en mesure de comparer M. Black et M. Péladeau.

M. Saint-Louis avait côtoyé Conrad Black au journal *The Record* de Sherbrooke, pendant que ce dernier en était le proprié-taire, avec Peter G. White et David Radler.

Le trio mené par M. Black avait acheté *The Record* pour la somme de 18 000 $ à l'été de 1968. Il exploita l'hebdomadaire et il s'en servit pour acquérir plusieurs autres hebdomadaires, notam-ment sur la Côte-Nord du Québec. C'est d'ailleurs Michel Saint-Louis qui avait eu la responsabilité de diriger les activités des hebdomadaires de la Côte-Nord. L'intention de Black était de dé-marrer un quotidien distribué de Baie-Saint-Paul à Blanc-Sablon. Pour ce faire, il voulait transformer le journal *L'Avenir* de Sept-Îles, lequel avait trois éditions hebdomadaires gratuites et une édi-tion vendue, ainsi que le journal *Côte-Nord* de Baie-Comeau avec une édition hebdomadaire, et en faire un seul et même quotidien. Ce nouveau quotidien aurait été imprimé à Sept-Îles. Tout semblait prometteur, sauf qu'avec l'élection de René Lévesque en 1976 le trio de Conrad Black plia bagage pour Toronto. M. Black vendit *The Record* à Georges MacLaren pour la somme de 865 000 $, soit quarante-huit fois le prix payé. Black s'est souvent vanté de cette bonne affaire.

Assez étrangement, c'est Pierre Péladeau qui acheta, le 19 dé-cembre 1975, le journal *L'Avenir* et son imprimerie à Sept-Îles, ainsi que les Éditions nordiques de Baie-Comeau. Plus tard, le 1er décembre 1987, il acquit également le journal *The Record* de Sherbrooke qu'il paya deux millions de dollars.

Pour conclure une affaire et réussir à obtenir ce qu'il voulait d'une acquisition, M. Black mettait en pratique les mêmes stratagèmes ou tactiques que Pierre Péladeau. Il pouvait être tout aussi créatif dans ses méthodes de séduction. Même si les deux hommes se ressemblaient, il existait une grande rivalité entre eux et surtout une grande différence dans leur façon de voir les choses. Ainsi, pour Pierre Péladeau, l'objectif était de couvrir tout le Québec avec ses publications. Conrad Black avait une tout autre aspiration : d'un océan à l'autre. Pour Black, l'empire qu'il bâtissait devait s'étendre de Terre-Neuve à Vancouver.

J'ai toujours eu beaucoup d'admiration pour Conrad Black, presque autant que j'en ai eu pour Pierre Péladeau. J'avais rencontré M. Black à quelques reprises à Ottawa et à Montréal. J'ai également eu à travailler avec son associé Peter G. White au moment où il était au cabinet de Brian Mulroney. M. White avait communiqué avec moi pour m'offrir un emploi à Ottawa en 1984. J'ai toujours eu beaucoup de respect pour le groupe Hollinger. M. Péladeau connaissait mon admiration pour ces deux hommes d'affaires anglophones et, même s'il ne me l'a jamais reproché, je savais que la chose le dérangeait.

Conrad Black et Pierre Péladeau ont bien tenté de s'associer et de réaliser quelques projets ensemble, mais ils n'ont jamais réussi à s'entendre [5].

* * *

La vie nous réserve toujours des surprises et avec Pierre Péladeau, il y en eut souvent. Très intuitif, il s'était intéressé à un hebdomadaire de Laval, propriété de Pierre Francœur. M. Péladeau, qui cherchait de nouvelles publications pour son réseau

---

5. Conrad Black est aujourd'hui propriétaire, entre autres, du quotidien *Le Soleil* de Québec. En octobre 2001, il a été nommé à la Chambre des lords, à Londres, il porte le titre de The Lord Black of Crossharbour.

d'hebdomadaires, avait entendu parler du travail de Francœur et il s'était intéressé à lui et à son journal. Il voulait acheter le journal et embaucher Pierre Francœur pour le diriger. Les deux hommes décidèrent de se rencontrer pour discuter. M. Francœur dit à M. Péladeau qu'il viendrait au rendez-vous en compagnie de Sylvie Sauriol, sa conjointe, qui était alors propriétaire d'un magasin de location de vidéocassettes. Lorsque M. Péladeau rencontra le couple, il se rendit compte immédiatement du potentiel de Mme Sauriol qui négociait alors pour son conjoint. Elle possédait les qualités qu'il admirait et recherchait chez ses partenaires. M: Péladeau n'a jamais acheté le journal, mais il a invité Sylvie Sauriol à se joindre au personnel de direction de Quebecor, division des hebdomadaires.

Pierre Francœur ne fut tout de même pas laissé pour compte. Un peu plus tard, il devint éditeur du *Journal de Montréal*, puis président et chef de la direction de Corporation Sun Media [6].

M. Francœur était réputé pour sa diplomatie. Sous la présidence de Pierre Péladeau qui lisait et commentait quotidiennement son journal, M. Francœur réussissait à composer avec les critiques bien souvent empesées du grand patron, qui suivait à la ligne sa publication. Y manquait-il une annonce ? Y avait-il plus d'avis de décès chez le concurrent *La Presse* ? Avait-on laissé passer une exclusivité ? M. Péladeau empoignait le téléphone et s'empressait de faire ses remarques au responsable. M. Francœur avait beaucoup de patience et d'aptitude pour gérer les excès de langage de son patron.

Il n'était pas toujours facile de satisfaire les désirs de Pierre Péladeau, car il y avait parfois un large fossé entre ses désirs et leur réalisation. S'il exista une personne qui dut relever ce défi plus souvent qu'à son tour, ce fut bien Marie Rémillard, directrice de l'Orchestre métropolitain jusqu'en avril 1998. D'un côté, elle devait composer avec un groupe de musiciens, des artistes avec leur personnalité propre et leur sensibilité, et de l'autre, avec le grand mécène, chez qui le tempérament d'homme d'affaires prédominait. L'Orchestre métropolitain était « la cause » que chérissait M. Péladeau. Mais il avait ses compositeurs et ses musiciens préférés. Comme il finançait l'orchestre, en retour, il avait ses

---

6. M. Francœur est toujours en poste au moment d'imprimer.

« demandes spéciales ». Marie Rémillard avait le grand talent de répondre aux attentes de M. Péladeau tout en tenant compte des impératifs d'un grand orchestre.

Un autre dirigeant qui se fit remarquer est André Gourd, avocat de formation. Il avait quitté Quebecor lorsque j'y ai fait mon entrée. Son départ m'a permis de profiter de son magnifique et vaste bureau, mais il est revenu par la suite à titre de vice-président aux acquisitions. Il a quitté définitivement au cours de l'année qui a précédé le décès de M. Péladeau pour accepter un poste chez Arthur & Andersen. Il fut l'artisan de l'acquisition du groupe Archambault.

André Gourd et sa femme Martine Saint-Louis, fille du juge Jean-Paul Saint-Louis, furent des amis intimes de Pierre Péladeau. Martine, avocate de formation, a été l'adjointe de direction de Pierre Péladeau et le juge Saint-Louis son exécuteur testamentaire.

André Gourd a réalisé beaucoup de projets ponctuels. C'était un type difficile à cerner. Il était sympathique, mais il pouvait être celui qui devait vous assener le coup de grâce. Il n'avait donc pas beaucoup d'amis au sein de Quebecor. M. Péladeau le respectait et c'est ce qui importait. Personnellement, je l'aimais bien.

André Gourd m'avait prévenu que ma loyauté sans équivoque était sûrement très utile à mon patron, mais qu'elle deviendrait dangereuse pour moi à long terme. Je savais que si M. Péladeau disparaissait subitement, je n'aurais probablement plus de travail chez Quebecor. M. Gourd m'avait fortement conseillé de préparer ma sortie. Mais je ne pouvais me résigner à quitter Pierre Péladeau. On ne quitte pas le bateau pendant la tempête !

D'autres cadres de haut niveau et ne provenant pas nécessairement du milieu des affaires sont également passés chez Quebecor. Jacques Girard fut l'un de ceux-là. Ancien sous-ministre de l'Éducation, il quitta Télé-Québec pour se joindre à Quebecor. Ce genre d'embauche au niveau de la haute direction devait équilibrer l'entreprise en raffinant davantage son style de gestion. À la base, il est difficile d'associer deux personnages aussi différents : l'un coloré et bouillant, l'autre patient et d'une politesse parfois digne d'un diplomate. Certains amis de M. Girard ne comprenaient pas sa décision de se joindre à Quebecor, car les deux hommes « détonnaient », tant ils étaient de styles différents. Contre toute attente, les deux hommes ont travaillé ensemble pendant plusieurs années et ont réalisé conjointement de nombreux projets. Jacques Girard est aujourd'hui président de Montréal international.

Pierre Péladeau était très bien secondé par son secrétariat, composé de Micheline Bourget et de Nicole Germain. Mme Bourget était à son service depuis plusieurs années déjà lorsque j'ai commencé à travailler chez Quebecor. M. Péladeau avait également une adjointe, Sylvie Laplante, avocate, qui s'occupait de ses affaires personnelles : la maison, l'ensemble du personnel privé comme les pilotes d'hélicoptères, les chauffeurs, les jardiniers, les bonnes, etc. Elle voyait à ce que M. Péladeau ne manque de rien à sa résidence et elle coordonnait les horaires du personnel à cette fin. Sylvie a quitté l'entreprise pour occuper un autre poste dans une filiale de Quebecor quelque temps avant la mort de M. Péladeau, mais elle est toujours demeurée très proche de celui-ci.

À l'aide de son personnel de secrétariat, Pierre Péladeau s'était créé un écran protecteur, tout en s'assurant que sa vie privée comme sa vie professionnelle soient bien organisées et réglées comme du papier à musique. Ses secrétaires surveillaient son horaire, l'assistaient dans toutes ses tâches, coordonnaient sa correspondance et ses dossiers. Elles avaient un rôle primordial. Même sur le plan des communications, il fallait que je collabore quotidiennement avec ses assistantes. Elles étaient toutes fidèles à M. Péladeau et elles éprouvaient beaucoup d'affection et d'amitié pour lui, en dépit de ses sautes d'humeur. Elles savaient qu'elles devaient mettre de côté leurs émotions et ne réagir que sur le plan professionnel.

M. Péladeau avait le même respect et la même attitude avec tout le monde, qu'il s'agisse des employés de soutien ou des cadres de la haute direction. Tous étaient traités de la même manière.

La seule chose que M. Péladeau coordonnait seul et pour laquelle il préférait ne pas donner beaucoup de détails était ses fréquentions amoureuses, mais, encore là, il avait parfois besoin de notre collaboration pour s'en tirer à bon compte et éviter de blesser inutilement la favorite du moment.

Chapitre 7

L'art de faire des affaires

La philosophie de Pierre Péladeau en affaires reposait sur un principe fondamental qu'il expliquait en quelques mots : « *You miss a deal, you get a deal.* » En français, on dirait : « Un projet de perdu, dix de retrouvés. » Il disait qu'il ne fallait jamais s'attacher émotivement à une affaire et que dès que l'on voyait les négociations aller dans la mauvaise direction ou que le prix à payer dépassait les objectifs fixés au départ, il fallait laisser tomber, tourner les talons et concentrer ses efforts ailleurs. Il était inutile de perdre du temps et de l'argent pour tenter d'obtenir une affaire qui ne vous rapporterait pas de profits.

Selon Pierre Péladeau, le profit était l'élément sur lequel beaucoup d'entrepreneurs ne savaient pas cibler leurs efforts, contrairement à toute logique. Il expliquait sa théorie du profit en utilisant les comparaisons que lui avait apprises un frère dominicain, professeur de métaphysique, durant ses années à l'université, au sujet du sac de pommes qui devait être vendu plus cher qu'il n'avait été payé si l'on voulait s'assurer un profit.

Il racontait aussi cette autre anecdote vécue, celle d'une jeune femme venue lui demander conseil au sujet de son atelier d'artisanat. Les ventes avaient augmenté, mais elle continuait d'essuyer des pertes. M. Péladeau nota rapidement que la dame payait ses fournisseurs en deçà de trente jours, tandis qu'elle permettait à ses clients d'attendre jusqu'à quarante-cinq jours avant de la payer. Elle pensait qu'en se montrant conciliante, elle favoriserait la croissance de son commerce et augmenterait le volume de sa clientèle. Son problème était là. Puisque la marge de profit était mince au départ, elle ne pouvait pas récolter de profit final en raison de frais d'intérêts attribuables au délai entre le paiement des comptes fournisseurs et la perception des comptes clients. Il lui avait proposé de se faire payer à la livraison.

Lorsque M. Péladeau prononçait des conférences ou qu'il accordait des entrevues, il mentionnait toujours des exemples précis, comme les pommes ou la boutique d'artisanat.

* * *

L'entrepreneurship de Pierre Péladeau a pris racine dès son adolescence. À 14 ans, il acceptait la gérance d'un club de tennis pour 6 $ par semaine. Il s'occupait également de la concession du restaurant attenant. Il vendait des boissons gazeuses, des cigarettes et des grignotines. « J'ai vite appris que si je vendais de la bière, ce serait beaucoup plus payant. »

Presque tous ceux qui ont assisté à ses discours ont également entendu parler de l'époque des sapins de Noël. Au collège, on avait offert aux étudiants des emplois au bureau de poste pendant le congé des fêtes. On offrait 75 $ pour 10 jours de travail. M. Péladeau trouvait que ce n'était pas suffisant, il voulait un emploi plus rémunérateur.

C'est alors qu'il eut l'idée de vendre des sapins de Noël. Mais il n'avait aucun capital pour acheter les arbres. Il mit en pratique un truc relativement simple : il allait commander les sapins le vendredi matin au marché et il demandait aux fournisseurs de les lui livrer autour de 8 heures le soir même. Le fournisseur en question se présentait à l'heure, déchargeait la marchandise et demandait ensuite son dû. M. Péladeau le payait avec un chèque, tout en étant parfaitement conscient que les banques seraient fermées jusqu'au lundi matin. Si le vendeur rouspétait trop, M. Péladeau lui disait de reprendre sa marchandise et de s'en aller. Lorsqu'un cultivateur avait passé toute une journée à se promener d'un marché public à l'autre, tout ce qu'il voulait, c'était rentrer chez lui. Remettre la cargaison dans le camion n'était pas très tentant. Aucun des fournisseurs de sapins n'a repris la marchandise.

M. Péladeau disposait de toute la fin de semaine pour écouler sa marchandise et aller couvrir le chèque à la banque dès le lundi matin. Plutôt que les 75 $ proposés pour l'emploi au bureau de poste, il encaissa 1 000 $ pour ses sapins.

À l'âge de 16 ans, il a aussi vendu des billets pour des spectacles qu'il organisait. C'est à ce moment qu'il a acquis sa passion et son amour pour les arts et les artistes.

Il rêvait de devenir imprésario. Son premier investissement fut un montant de 35 $ pour l'achat d'une voiture, un vieux modèle Chrysler. Il comptait faire le tour de la province avec une troupe de théâtre qu'il venait de fonder, mais il ne se rendit pas très loin. La seule représentation de sa tournée se solda par une soirée à Sainte-Scholastique, près de Mirabel ; une bonne partie de l'assistance a sauté la clôture et a vu le spectacle gratuitement. En plus, la Chrysler rendit l'âme en chemin, et la troupe revint piteuse en autobus. Le théâtre n'était définitivement pas rentable.

L'été suivant, Pierre Péladeau décida de faire une autre tournée, mais cette fois-ci avec un seul artiste, le pianiste André Mathieu. Ils partirent en direction de l'Abitibi. Le premier soir, à Amos, ce fut le triomphe. Le lendemain, le pianiste, en proie à des états d'âmes, décida de ne pas jouer. M. Péladeau, qui n'avait jamais été patient, plia bagages sur le champ et revint à Montréal en laissant le pianiste sur place.

À l'université, grâce à un ami plus fortuné qui l'invitait chez lui pour écouter des disques, il découvrit la musique classique. Il s'en gava littéralement. En une nuit, il pouvait écouter jusqu'à cinq concertos de Beethoven, autant de Mozart et les grands *lieder* de Schubert. Quelques fois pendant la semaine, il assistait à de grands concerts au théâtre Her Majesty à Montréal, en entrant par l'escalier de secours, car il n'avait pas d'argent pour acheter une place.

À la même époque, les étudiants de l'université McGill présentaient des débats publics à la salle Le Plateau, place des arts de l'époque. Il se lança donc dans l'organisation de débats. Il reprit la formule qui consistait à opposer deux groupes de deux étudiants chacun sur un sujet donné. Mais comme il voulait réveiller l'audience, M. Péladeau déterminait des sujets plus légers qu'à l'ordinaire, pas du tout guindés, comme « moustache ou rasé », « blonde ou

brune», «*Sugar Daddy* ou étudiant». L'assistance grimpa rapidement de deux cents à sept cents personnes.

Pendant les trois années de ses études de droit, il présenta plus
de vingt-cinq débats tous aussi débridés les uns que les autres. Il
décida aussi de rendre l'événement encore plus intéressant en invi-
tant des gens connus comme animateurs : Jeannette Bertrand, Jean-
Pierre Masson, Roger Baulu, Émile Genest et Monique Mercure. À
la fin, M. Péladeau remplissait la salle de 1 200 places avec ses
débats aux sujets futiles. Le recours à des personnalités pour attirer
les spectateurs se répéta avec le Pavillon des Arts de Sainte-Adèle.
Lorsque je lui proposai l'idée en 1992, il l'accepta d'emblée en me
disant qu'il avait lui-même appliqué ce truc pendant ses études universitaires.

Ce succès l'incita fortement à reprendre le collier de l'imprésario laissé à Val-d'Or quelques années plus tôt. Au Québec, le
marché n'était occupé que par un seul imprésario reconnu : un
dénommé Nicolas de Koudriasef. À la fin de ses études, vers 1950,
Pierre Péladeau entreprit de monter des concerts hauts de gamme.
Grand admirateur de Beniamino Gigli, ténor italien, il décida de
communiquer avec lui, à Rome, pour l'inviter à se produire au Québec.

Mais la réponse se fit attendre. L'artiste italien n'était pas certain de vouloir se produire au Québec. Durant ce temps, M. Péladeau n'avait pas vraiment de travail précis et il détestait attendre.
De plus, il lui fallait gagner sa vie. Un ami lui offrit alors de vendre
un petit journal de quartier, *Le Journal de Rosemont*. Il accepta.

Six mois plus tard, il reçut la réponse de M. Gigli qui, finalement, avait décidé de ne pas venir en Amérique. Ce refus vint définitivement tourner la page sur la vocation d'imprésario de Pierre
Péladeau. Je crois cependant qu'il n'a jamais vraiment perdu l'intérêt qu'il avait pour les artistes, et qu'au fond de lui même, il aurait
aimé devenir un gérant d'artistes comme René Angélil ou Guy
Cloutier. Sur le plan professionnel, il ne fréquenta jamais vraiment
ces deux hommes, mais il aurait sûrement aimé arriver aux som-
mets atteints par le gérant de Céline Dion. *Le Blues du business-
man*, chanson de Claude Dubois, s'applique parfaitement à Pierre
Péladeau.

S'il a finalement opté pour l'édition, ce ne fut pas une passion au départ. Il devait gagner sa vie, et la vente de publicité lui semblait une façon facile de le faire. Il me confia, vers la fin de sa vie, qu'au départ il ne connaissait rien à l'imprimerie. Pour lui, c'était une façon de gagner de l'argent, sans plus. Sa passion pour ce secteur industriel s'est développée plus tard, mais elle n'a jamais atteint l'intensité de celle qu'il avait éprouvée à l'égard des artistes.

L'attitude de Pierre Péladeau à ses débuts en tant qu'entrepreneur est demeurée la même jusqu'à la fin de sa vie, peu importe le montant en jeu. Il surprenait tout le monde par sa rapidité de réaction, par son imprévisibilité, par son courage et, parfois, par l'audace des gestes qu'il posait. S'il n'obtenait pas les résultats ou l'entente escomptés, il pouvait tourner les talons et il était inutile d'essayer de le convaincre de revenir sur sa décision.

Un fait intéressant à constater est la façon dont il se protégeait contre l'ivresse. L'alcool était le « relaxant » qu'il recherchait après le travail, mais jamais il n'aurait signé une transaction financière en état d'ébriété. Lorsque sa dépendance à l'alcool fut connue, il est arrivé à maintes reprises que des gens essaient de le saouler afin de lui faire signer un « *deal* ». Il acceptait de rencontrer ses clients et se prêtait à des discussions, généralement autour d'un repas bien arrosé au restaurant. Mais il ne signait jamais quoi que ce soit s'il avait bu. Lorsqu'il concluait une affaire, il était sobre.

Il attribua souvent le crédit de son succès en affaires à une leçon que lui avait prodiguée l'un de ses oncles très tôt au début de sa carrière, vers le milieu des années 1950. Ce dernier était prétendument riche et M. Péladeau voulait lui emprunter de l'argent. Elmire, mère de M. Péladeau, le mit cependant en garde contre la rigueur de l'oncle en question, réputé pour être dur en affaires. Convaincu de ses qualités de vendeur, Pierre Péladeau prépara son baratin et se pointa chez son oncle qui le reçut avec beaucoup de civilité. Une fois son exposé terminé, son oncle se leva, étendit ses deux bras sur son bureau et lui dit d'un air solennel :

« Écoute-moi bien mon jeune, à ma droite, j'ai ici tous les comptes clients et, à ma gauche, tous mes comptes fournisseurs. Voici toute ma *business*, 90 millions de dollars par année dans deux dossiers de chaque côté de mon pupitre. C'est pas compliqué. Fais la même chose. »

Toute une leçon sur la simplicité de la gestion : « les clients et les fournisseurs ». Pierre Péladeau venait d'apprendre à gérer l'argent qu'il n'avait pas encore. M. Péladeau s'en retourna sans les 5 000 $ qu'il voulait, mais il avait compris une chose : en affaires, il faut parfois faire financer ses projets avec l'argent des autres et avec le crédit des fournisseurs.

C'est à partir de ce moment-là qu'il commença à s'entourer d'experts et cessa de tout faire seul. Il choisit d'abord un comptable qui savait parler à un banquier, puis un avocat qui veillait à ce que toutes les opérations financières soient conformes aux règlements, tout en bénéficiant des largesses de la loi. Un seul mot guidait toutes ses acquisitions : « profit ».

M. Péladeau disait toujours qu'il fallait voir grand et oser. Il a appliqué ce principe toute sa vie, mais il a également toujours su s'arrêter lorsque la situation risquait de se solder par un échec. Il fallait savoir maîtriser son attachement par rapport à une opération. Selon M. Péladeau, si l'on devenait sentimental envers un projet, on risquait de ne pas voir les embûches et de se faire rouler.

Il citait en exemple son expérience aux États-Unis et sa tentative d'implanter un quotidien sur le marché américain. Il avait lancé le *Philadelphia Journal* le 5 décembre 1977. Contrairement à la rumeur, il n'avait pas investi dans ce projet sur un coup de tête. Une occasion s'était présentée, et il avait étudié l'affaire à fond. Il s'était rendu à Philadelphie à plusieurs reprises et il avait même demandé à Jacques Beauchamp, journaliste sportif du *Journal de Montréal*, de l'y accompagner. De prime abord, il trouvait des ressemblances entre Philadelphie et Montréal. Comme on le sait, Pierre Péladeau mit au monde *The Philadelphia Journal* dont le tirage atteignit les 100 000 exemplaires. Dès 1981, le journal était sur la bonne voie et son avenir s'annonçait prometteur, jusqu'à ce que les syndicats, Teamsters en tête, lui mettent des bâtons dans les roues. Non pas que le propriétaire s'opposait à la syndicalisation des employés, mais le dialogue s'établissait dans un rapport de force à sens unique et sans ouverture aucune.

M. Péladeau négocia pendant un certain temps, puis il se fatigua et leur fit savoir que si le syndicat persistait dans son refus, il fermerait tout simplement les portes. Le syndicat crut que M. Péladeau bluffait et les employés votèrent contre la proposition. Tel que promis, il plia bagage et il partit en fermant le journal. Les représentants syndicaux communiquèrent avec lui peu de temps après, mais c'était trop tard. C'était mal connaître le petit *French Canadian*. Il avait investi près de 15 millions de dollars dans ce projet, mais il ne s'y accrocha pas. Il n'avait plus confiance.

L'histoire se répéta en quelque sorte avec le *Montreal Daily News* lancé le 15 mars 1988, lequel a paru moins d'une année. M. Péladeau avait accepté de démarrer ce quotidien selon un plan de développement bien établi et surtout selon un budget déterminé qu'il ne voulait dépasser à aucun prix. Il s'était laissé convaincre qu'il y avait de la place sur le territoire de *The Gazette* pour un autre quotidien. Vraisemblablement, il n'y en avait pas. Publié en format tabloïd, le journal n'arrivait pas à atteindre sa vitesse de croisière et à susciter des profits lui assurant une place permanente au sein du marché. L'échéancier de rendement n'était pas respecté et les revenus publicitaires tardaient à se manifester.

Le journal battait de l'aile lorsque les comptables du nouveau quotidien, ainsi que ceux de Quebecor, demandèrent à M. Péladeau d'étirer le financement. Ils y allaient prudemment en lui proposant : « Si on mettait deux autres millions, on aurait du temps. » Mais Pierre Péladeau, fidèle à son instinct et surtout à sa règle de base de ne jamais s'accrocher à une affaire, décida de fermer le *Montreal Daily News*. Ce fut une fermeture difficile parce que des employés y perdirent leur travail et que l'on avait mis beaucoup d'espoir dans le quotidien. La perte s'élevait à 10 millions de dollars, mais, comme il ne faisait pas dans la sentimentalité, M. Péladeau resta sur sa position. Pas de profit, pas d'entreprise.

* * *

Pierre Péladeau l'a répété jusqu'à sa dernière conférence.

« Je vais à l'essentiel, expliquait-il un jour devant la Chambre de commerce de Rimouski en novembre 1997. J'écoute beaucoup et je m'assure que l'on ne traîne pas avec le « *puck* ». Les plans d'action quinquennaux n'ont jamais occupé une grande place sur mon bureau. On gère la compagnie, projet par projet, division par division, et, tous ensemble, on s'assure de faire progresser Quebecor. Dans mon livre à moi, cette façon d'agir s'appelle une planification stratégique et jusqu'à présent, cela n'a pas trop mal fonctionné. Il faut avoir à cœur son travail et bien le faire, c'est simple, mais c'est efficace. Pour réussir en affaires, il faut simplement faire preuve de gros bon sens et savoir trouver les possibilités de profits. Le profit est l'élément fondamental qui détermine si une entreprise peut continuer à fonctionner ou non. Ça me fait sourire quand j'entends les théoriciens, les consultants et les philosophes des affaires qui font de grandes démonstrations sur la façon de faire des affaires, quand ils n'ont jamais fait des affaires eux-mêmes, sauf dans les livres. Si j'achète un sac de pommes à un dollar, il me faut le revendre plus cher sinon je jouerais au Père Noël. Il faut que je vende mes pommes un dollar cinquante et ce sont les cinquante cents de profit qui permettront à mon entreprise de progresser. Le principe peut paraître simple, mais en affaires ce n'est pas plus compliqué que ça, que l'on parle de 100 dollars ou de 100 millions de dollars. »

M. Péladeau est un devenu un expert dans l'art de faire des affaires. L'empire qu'il a mis au monde en est la preuve. Le point tournant dans sa carrière fut assurément la fondation du *Journal de Montréal* le 15 juin 1964. Il songeait depuis quelque temps à créer un quotidien, notamment pour tenir occupées au maximum ses presses du *Journal de Rosemont*. C'est alors que survint la grève du journal *La Presse* qui créa un vide important dans le marché. Il vit une occasion se présenter, et il sauta dessus à pieds joints. Il prit la décision en quelques heures seulement.

Ce fut une course contre la montre : il n'avait pas de journalistes, ni de fil de presse, bref, pas de salle de rédaction. Il est allé chercher des journalistes de la radio pour former son équipe et lui fournir l'accès aux agences de presse. En deux jours, *Le Journal de Montréal* se trouvait en kiosque. Il tirait à 80 000 exemplaires en janvier 1965.

Lorsque la grève du journal *La Presse* prit fin, M. Péladeau, qui espérait avoir trouvé un créneau durable pour son nouveau-né, dut essuyer une baisse fulgurante du tirage. La publication était passée à 12 000 exemplaires le temps de le dire, mais il avait accumulé un profit de 100 000 $. C'était une somme considérable à cette époque.

À ce moment, il fallut prendre un décision fatidique : fermer ou continuer. S'il décidait de continuer, il lui fallait investir près de 800 000 $.

Pierre Péladeau a toujours dit que les décisions d'affaires étaient des décisions rationnelles, terre-à-terre. Pourtant, allant à l'encontre de l'avis de son comptable et de son avocat qui lui con-seillèrent fortement de ne pas poursuivre cette aventure, il écouta son instinct et s'accrocha à ce qui allait devenir son plus « grand quotidien français d'Amérique ».

L'opération ne se fit pas sans quelques difficultés, il va s'en dire, ne serait-ce qu'au chapitre de la distribution. Le distributeur avec lequel il était sous contrat décida de ne pas respecter l'entente. Toujours convaincu de son choix, M. Péladeau résolut de fonder sa propre maison de distribution. Il acheta 50 camions en 24 heures. Il ne restait plus une seule camionnette disponible sur le territoire de l'île de Montréal, mais les Messageries Dynamiques étaient nées.

* * *

Le Journal de Québec vit le jour dans des circonstances aussi invraisemblables.

« Lorsqu'on a lancé *Le Journal de Québec*, racontait Péladeau, on s'est pas garoché avec des tonnes d'argent. On n'en avait pas. Tout ce que l'on avait, c'était un désir effréné de lancer un journal à Québec. »

L'idée de lancer un nouveau quotidien avait d'abord germé dans la tête de Serge Roy, ancien journaliste du *Journal de Montréal*. Ce dernier avait emménagé à Québec et il téléphonait à son ancien patron deux à trois fois par semaine pour essayer de le convaincre de lancer un nouveau quotidien à Québec. Il tentait de lui prouver que les journaux locaux étaient ennuyants. Mais il fallut plus que ces simples arguments.

À l'époque, en 1967, il existait trois journaux à Québec : *L'Événe-ment*, *L'Action catholique* et *Le Soleil*. Selon M. Roy, une ou peut-être même deux de ces publications allaient bientôt disparaître. Ayant lancé *Le Journal de Montréal* trois ans auparavant, M. Péladeau était plutôt tiède à l'idée de démarrer une nouvelle affaire aussi rapidement. Il voulait établir des assises solides pour son quotidien à Montréal avant de se risquer dans une autre aventure. Mais la prédiction de Serge Roy se révéla exacte et, comme si le destin l'avait commandé, le journal *L'Événement* ferma ses portes. Le 6 mars 1967, le premier numéro du *Journal de Québec* sortait des presses de Montréal.

« L'expérience du lancement de ce nouveau quotidien à Québec tient du miracle, relata par la suite Pierre Péladeau lors d'une conférence. Le moins que l'on puisse dire est que la mise en marché n'a pas suivi les règles traditionnelles des autres quotidiens. Tous les spécialistes des communications ne nous donnaient pas longtemps à vivre. *Le Journal de Québec* aura été le seul quotidien à être imprimé pendant des années à 340 kilomètres de son point de vente. Un éditorialiste fort connu et fort respecté avait pontifié que le journal tomberait avec les feuilles d'automne, et peut-être même avant. Vous devinez sans doute qu'il a ravalé ses paroles... »

Au dire même du grand patron de Quebecor, il fallait être complètement fou pour se lancer dans une pareille aventure qui n'offrait pratiquement aucune chance de réussite. Les journalistes effectuaient leur travail de collecte de nouvelles à Québec et expédiaient le fruit de leur travail par fil de presse à Montréal, ou les nouvelles par téléphone, directement à l'imprimerie. On y dessinait alors la maquette avant de l'imprimer sur les presses rotatives de Montréal. Ensuite, les choses se compliquaient ; une fois le journal imprimé, vers 2 heures du matin, il fallait le livrer à Québec.

Il faut imaginer la scène : 40 000 exemplaires à ramasser à Montréal et à acheminer vers Québec pour 7 heures du matin. M. Péladeau raconta à de nombreuses reprises ces débuts difficiles :

« Deux cents milles tous les jours pour rendre *Le Journal de Québec*. C'était un contrat. Et ça, quand les tempêtes n'immobilisaient pas notre camion dans les bancs de neige. Ou quand ce n'était pas un pneu qui crevait ou un camionneur qui avait eu un peu trop besoin de se réchauffer avant de partir... »

Malgré tout, ils persévérèrent et *Le Journal de Québec* devint le plus important quotidien de la ville de Québec. « Que ça fasse plaisir à Conrad Black ou pas », s'empressa de rajouter M. Péladeau.

Aujourd'hui, *Le Journal de Québec* est imprimé sur ses propres presses qui ont nécessité un investissement de 11 millions et demi de dollars en 1989.

Quand il a acheté Donohue le 7 juillet 1987, au coût de 356 millions de dollars, il avait besoin d'un partenaire, car il s'agissait d'une très grosse somme d'argent. Il n'avait pas les moyens de l'assumer tout seul. Il a laissé courir la rumeur qu'il cherchait un associé disposant de liquidités à investir. André Bisson, vice-président de la Banque de Nouvelle-Écosse au Québec, que M. Péladeau connaissait bien, lui a téléphoné un jour pour l'entretenir de Robert Maxwell. M. Péladeau n'en avait jamais entendu parler, mais il connaissait ses publications dont le *London Mirror*.

Robert Maxwell avait la réputation d'être un « *name dropper* ». Ses conversations étaient continuellement truffées de noms tels George Bush (père), Margaret Thatcher, sans oublier quelques têtes couronnées de la monarchie britannique. Tous les banquiers de la planète, ou presque, lui avaient ouvert un compte, ce qu'ils allaient regretter amèrement par la suite. En Angleterre, il était le baron de la presse.

Ce n'est pas tant le personnage ni son carnet d'adresses qui suscitèrent l'intérêt de Pierre Péladeau, mais le tirage de 4 000 000 d'exemplaires par jour du *London Mirror*. Comme il s'apprêtait à acheter une usine de papier, il allait avoir besoin de bons clients. Son ami de la Banque de Nouvelle-Écosse le mit en contact avec M. Maxwell qui se présenta à l'hôtel Ritz Carlton de Montréal, dès le lendemain.

Entre-temps, Pierre Péladeau avait recueilli quelques renseignements sur le personnage et sur ses activités. Il apprit que Robert Maxwell avait justement des problèmes d'alimentation en papier en Angleterre en raison de la concurrence féroce de Murdock, son vis-à-vis dans ce marché.

En arrivant au rendez-vous fixé dans une suite du Ritz, M. Péladeau lui présenta son « *deal* » de façon expéditive :

« Monsieur Maxwell, ma proposition est la suivante : 51 % pour Quebecor, 49 % pour vous, et je veux 156 millions de dollars. *That's it !* »

M. Maxwell réagit avec vigueur à cette proposition tout à fait inacceptable. Il éleva le ton et la discussion se prolongea ainsi pendant quelques heures ; il voulait une association moitié-moitié et n'en démordait pas. M. Péladeau non plus.

« Ma proposition est 51/49, pas 50/50. Est-ce assez clair ? C'est à prendre ou à laisser », dit Péladeau.

Ils discutèrent encore un peu, puis, exaspéré, Pierre Péladeau se leva et sortit. Ce fut fini. Robert Maxwell eut beau lui dire : « Non, non, reste, on va discuter », M. Péladeau était déjà devant l'ascenseur. *You miss a deal, you get a deal !*

Finalement Robert Maxwell courut derrière M. Péladeau dans le corridor et le ramena dans la suite. Il finit par accepter l'offre initiale du patron de Quebecor, et il investit 156 millions de dollars.

Par la suite, Robert Maxwell lui téléphona deux fois par jour de Londres. Quelques semaines plus tard, M. Maxwell l'appela en catastrophe parce que l'usine Donohue n'avait plus de président, et que M. Péladeau avait décidé de nommer Charles-Albert Poissant. M. Maxwell n'était pas d'accord parce qu'à son avis M. Poissant ne connaissait rien au papier. Il s'opposait à cette nomination, et il s'énerva un peu au téléphone. M. Péladeau coupa court à ses hauts cris en lui rappelant que lui non plus ne connaissait rien au papier lorsqu'il avait accepté d'investir son argent dans cette usine. Il lui mit aussi les points sur les « i » :

« En passant, j'aimerais qu'une fois pour toutes tu n'oublies pas que je possède 51, et toi 49 %. Prends-en bonne note. C'est moi qui suis le patron. Poissant sera le prochain président de Donohue ! »

* * *

J'ai personnellement rencontré M. Maxwell à trois reprises. Le personnage était hors du commun. D'une corpulence imposante, intriguant, presque mythique, il dégageait un magnétisme très intense.

M. Péladeau s'entendait bien avec M. Maxwell, si ce n'est qu'il dut lui rappeler, à quelques reprises, que Quebecor était un partenaire majoritaire. Il considérait également que M. Maxwell était un allié précieux, un passeport lui facilitant un accès assuré au marché mondial. M. Maxwell était en quelque sorte une vedette, une attraction en soi, que M. Péladeau avait accueilli, à quelques reprises, à sa résidence de Sainte-Adèle et à Montréal. M. Péladeau aimait frayer avec l'élite et M. Maxwell en faisait partie.

Lorsque que Robert Maxwell est mort, en novembre 1991 à l'âge de 68 ans, j'ai annoncé la nouvelle à M. Péladeau. Il était convaincu que son associé dans Donohue avait été assassiné. Pour lui, la thèse du suicide n'était absolument pas envisageable ; il avait toujours perçu M. Maxwell comme un bon vivant, un optimiste, un être courageux qui aimait la vie et qui savait en profiter. Rappelons que Robert Maxwell avait été porté disparu à la suite d'une sortie en mer sur son yacht, *Lady Ghislaine*, dans la région des Açores. Son corps fut repêché quelque temps après sa disparition. L'enquête qui suivit révéla sa situation financière. À peu près tout le monde s'était laissé duper par Robert Maxwell. Les circonstances entourant son décès ne furent jamais élucidées. Pierre Péladeau s'en sortit bien : comme actionnaire majoritaire, il ne perdit aucun pouvoir et, en plus, il fut en mesure de racheter la part de son défunt associé.

* * *

Un autre exemple du détachement que Pierre Péladeau éprouvait dans un processus de négociation est celui qu'il afficha à l'égard du *Toronto Sun* en juin 1996. Il avait déjà vécu deux échecs dans l'exploitation de quotidiens de langue anglaise, mais l'achat du *Toronto Sun* reposait sur des éléments complètement différents. Dans les cas du *Philadelphia Journal* et du *Montreal Daily News*, il fallait créer les journaux à partir de rien.

Ces deux échecs lui avaient prouvé qu'il était préférable d'acheter une entreprise déjà opérationnelle, même si elle était en déficit, avec des employés, de l'équipement, un roulement et, surtout, une liste de clients. Il pouvait réorganiser les finances et la gestion pour la rendre rentable. Dans cette perspective, le *Toronto Sun* était une occasion intéressante et, qui plus est, incluait le *MacLean Hunter*, déjà imprimé chez Quebecor, ainsi que le magazine *L'Actualité* avec lequel il avait eu un différend.

Ted Rogers voulait se départir du *Toronto Sun* parce qu'il avait besoin de liquidités pour développer d'autres secteurs. Il cherchait un acheteur et un bon prix. Pierre Péladeau, comme toujours, avait fait ses devoirs en vue de cette transaction. Avec ses experts en finance, il avait calculé le prix maximum qu'il voulait payer, compte tenu des coûts de restructuration, soit 12,75 $ l'action. Dès l'acquisition, il devait abolir environ 500 postes pour mettre en œuvre le plan de relance.

M. Péladeau voulait acquérir le *Toronto Sun*, car cette entreprise devait lui permettre une percée rapide dans le marché canadien-anglais, mais il n'était pas seul dans la course. Les employés de l'entreprise ontarienne avaient également fait une offre s'élevant à 16 $ pour protéger leur emploi et éviter les licenciements préconisés par Quebecor.

C'est à ce moment que la journaliste Diane Francis, née à Chicago et vivant à Toronto, entra en scène. Elle publia un article haineux sur Quebecor en général et sur M. Péladeau en particulier, dénonçant l'achat d'une institution comme le *Toronto Sun* par un *French Canadian*, nationaliste de surcroît. Elle qualifia ce projet d'acquisition de tragédie ! Elle lui consacra aussi la première page du *Financial Post*. Elle venait d'ajouter un aspect politique au geste financier. Il était inacceptable de céder un fleuron de l'édition canadienne à un Québécois.

Cette campagne de salissage en règle n'était pas sans rappeler le cas de Robert Campeau qui avait voulu, quelques années auparavant, acquérir la majorité des actions d'une banque de longue tradition anglaise. Il avait également subi les foudres d'opposants férocement francophobes. Campeau n'était pas Québécois, il était né en Ontario, mais il était de langue maternelle française.

À un certain moment, l'aspect politique a nettement pris le dessus dans le traitement de cette affaire du *Toronto Sun*. Pierre Péladeau était prêt à se battre pour le principe et aurait pu présenter une offre supérieure pour montrer qu'il pouvait gagner. Il en avait largement les moyens. En dépit de la provocation et malgré la tentation, il refusa de dépasser le montant maximum qu'il s'était fixé. Il renonça au projet.

Au-delà du prix offert initialement à Rogers, M. Péladeau considérait que l'acquisition n'était plus viable. L'avenir lui donna raison, car les employés durent vendre en octobre 1998. Curieusement, ce fut Pierre-Karl Péladeau qui acheta l'entreprise. Lui aussi dut faire face aux foudres de Diane Francis, mais il réussit à s'imposer et à remporter la victoire. Il affirma, un peu pour narguer Mme Francis après la signature : « C'est un grand jour pour le Canada. »

Mais en 1996, ce n'était plus une bonne affaire pour Pierre Péladeau et il recula. Voilà comment réagissait M. Péladeau dans ses *deals* : aucune émotion, aucun attachement n'influençait son jugement. C'était une différence majeure entre lui et Robert Campeau, par exemple. Ce dernier connut une descente aux enfers en se laissant guider par l'orgueil : une décision qu'il paya très cher lors de l'acquisition de Federated Stores.

Pierre Péladeau sut gérer ses ambitions selon ses moyens.

* * *

Un autre projet d'acquisition que je vécus aux côtés de Pierre Péladeau fut celui du réseau de Télévision Quatre-Saisons, en avril 1997.

Ce fut Jean-Luc Mongrain, animateur et producteur bien connu, qui aborda Pierre Péladeau pour l'intéresser à l'achat de Télévision Quatre-Saisons. M. Mongrain voulait faire une offre d'achat, mais il n'avait pas tout le financement requis. Il cherchait un partenaire. M. Péladeau avait déjà refusé d'acheter Télé-Métropole parce qu'il avait trouvé le prix trop élevé à l'époque. En comparaison, le prix demandé pour TQS était une aubaine à ses yeux. Il accepta donc de prendre part au processus d'acquisition en compagnie, au départ, de Jean-Luc Mongrain, qu'il aimait bien. Mais ce dernier dut se retirer du projet en cours de route. Il avait une entreprise de production privée qui le plaçait dans une situation délicate, et il préférait demeurer producteur plutôt que de devenir propriétaire.

Pierre Péladeau décida de continuer les démarches sans M. Mongrain. Pour la première fois, il dut convaincre non seulement le vendeur de lui céder TQS au prix offert, mais il lui fallut aussi obtenir la permission du Conseil de la radiodiffusion et des télécommunications canadiennes (CRTC) pour entériner cette acquisition. Ce fut une nouvelle expérience pour lui, car il négociait habituellement avec le secteur privé. Il a toujours dit qu'il n'aimait pas les contrats gouvernementaux parce qu'il y avait trop de paperasserie. De plus, il a toujours voulu garder ses distances face à la politique.

Mais pour réussir cette acquisition, il mit de l'eau dans son vin et, surtout, il modéra ses ardeurs et ses déclarations publiques, contrairement à ce qu'il avait fait dans le cas du *Toronto Sun*.

Pierre Péladeau s'entoura dès le départ de personnes clés pour le conseiller et l'appuyer dans ses démarches, dont Franklin Delaney. Cet ancien propriétaire de stations de radio, originaire des Îles-de-la-Madeleine, avait l'expérience des agences gouvernementales en plus d'une solide connaissance de la radio et de la télévision. En 1973, lorsque le CRTC avait offert un permis pour une seconde station de télévision à Montréal, c'était Delaney qui en était devenu le propriétaire.

En 1997, Franklin Delaney prit la direction du consortium formé de partenaires de calibre pour composer le consortium TQS. Le partage des actions était le suivant: Quebecor 58,5 %, Cancom 19,5 %, Cogeco 20 %, Radio-Nord 1 %, Radio-Saguenay et Télévision MBS 0,5 % chacun. Le président et chef de la direction de Quebecor s'engagea toutefois devant le CRTC à ne pas siéger au conseil d'administration du consortium.

L'offre d'achat fut officiellement acceptée par Vidéotron le 11 avril 1997, jour du 72e anniversaire de naissance de Pierre Péladeau. Le prix payé fut de 24 millions de dollars plus une somme du fonds de roulement évaluée à 9 millions de dollars, pour un total de 34 millions de dollars. Le réseau Quatre-Saisons fut un cadeau personnel que s'offrait Pierre Péladeau pour se rapprocher encore plus des artistes et de la culture. Après son journal, il avait maintenant sa télévision. Cette acquisition constitua une sorte de second début et un retour vers ses passions des premiers jours. Il voulut participer aux activités de la station, mais il se montra toutefois prudent. Il suggéra, notamment, l'embauche de Michel Jasmin qu'il qualifiait de « Larry King », ainsi que celle d'Andrée Boucher. Le directeur de la programmation ne fut cependant pas d'accord… La télévision n'était pas le domaine de compétence de M. Péladeau, et la convergence avec ses autres médias ne l'inspirait pas. Il a acheté

TQS pour se faire plaisir tout en calculant le risque. C'était son cadeau de fête disait-il, mais il fallait aussi qu'il soit rentable.

Ceux qui, comme moi, ont participé au processus de négociation avec M. Péladeau étaient aussi excités que lui par ce nouveau défi. Il fallait maintenant obtenir l'autorisation du CRTC, et ces audiences ont été préparées avec grand soin. Par mesure de précaution, Pierre Péladeau refusa toute entrevue avec les médias jusqu'au moment où le CRTC rendit sa décision, soit le 22 août 1997. L. Yves Fortier, avocat et président de la firme Ogilvy, représenta Quebecor et eut pour défi de prouver qu'il n'existerait aucun monopole de l'information, même si Quebecor était également propriétaire de journaux à Québec et à Montréal. Me Fortier est le plus grand plaideur que j'ai eu le plaisir de regarder travailler. Un véritable virtuose. Le consortium nomma P. Wilbrod Gauthier à titre de président du conseil et Franklin Delaney à titre de président-directeur général de l'entreprise.

TQS fut la dernière acquisition de Pierre Péladeau avant sa mort.

* * *

L'intérêt de Pierre Péladeau pour les médias électroniques ne se tournait pas uniquement vers la télévision. Quelque temps auparavant, en septembre 1995, Jean-Pierre Coallier, animateur bien connu et homme d'affaires, avait aussi abordé Pierre Péladeau pour inviter Quebecor à devenir partenaire dans son projet de créer, à Montréal, une station radiophonique diffusant uniquement de la musique classique.

« Monsieur P. » et ce genre de station allaient naturellement de pair. L'Orchestre métropolitain et le Pavillon des Arts auraient aussi pu profiter directement des retombées. Je pilotais le dossier du côté de Quebecor et j'ai bien tenté de convaincre Pierre Péladeau. Mais il fallait bâtir l'entreprise à partir de rien. M. Péladeau aurait préféré une station de musique classique déjà existante. C'est avec regret et avec une certaine tristesse que j'ai dû décliner cette offre, au nom de mon patron. M. Péladeau trouvait que le rendement était étalé à trop long terme selon ses critères, mais il aimait le projet.

Encore une fois, il laissait ses émotions de côté, pour prendre une décision réfléchie.

Dans ce cas-ci, Pierre Péladeau s'est toutefois trompé. Jean-Pierre Coallier a inauguré sa station le 25 juin 1998, et le succès a été immédiat. La station CJPX-FM diffuse principalement de l'île Sainte-Hélène à Montréal, mais dispose d'un deuxième studio installé à la Place des Arts. Selon les sondages de décembre 2002, la station compte plus de 468 000 auditeurs et diffuse 24 heures sur 24. Même Pierre-Karl Péladeau dit écouter cette station…

* * *

Pierre Péladeau fut un entrepreneur dans l'âme et il le resta jusqu'à sa mort. Si ses projets pouvaient être de grande envergure, certains étaient de la taille d'une PME. Il s'y appliquait cependant avec la même ardeur, qu'ils soient petits ou grands.

En octobre 1994, je vécus avec M. Péladeau la création d'un journal, littéralement à partir du coin de son bureau.

Il avait toujours considéré Rémi Marcoux comme une sorte de concurrent, surtout que ce dernier avait fait ses classes chez Quebecor. M. Péladeau avait décidé de lancer un journal pour s'attaquer de front au journal *Les Affaires*. Pour y arriver, il a redonné vie à une ancienne publication qui ne paraît plus depuis quelque temps.

La publication *Parlons affaires* fut conçue sous forme d'encart et distribuée dans le réseau des hebdomadaires de la région des Laurentides. Ce journal présentait des reportages sur des entreprises locales selon la méthode des publireportages. M. Péladeau voulut changer légèrement la formule : les articles seraient payés par les fournisseurs de l'entreprise, et non par l'entreprise elle-même. Ainsi, lorsque l'on faisait un reportage sur Bombardier, on demandait à cette entreprise de fournir une liste des fournisseurs auxquels on vendait des annonces. Formule simple, mais qui se révéla drôlement efficace.

M. Péladeau aimait bien l'idée de son nouveau projet. Il considérait qu'il posait ainsi un geste concret pour promouvoir l'entrepreneurship régional.

Il entreprit donc de publier un format de 32 pages sur papier journal. Il ne voulait pas trop dépenser pour ce projet et il envisageait de le gérer prudemment à partir de son bureau. Pour les premières éditions, il décida lui-même des titres des reportages et il m'avait demandé, très gentiment, d'écrire des articles dans mes temps libres. Ce n'était rien de bien compliqué, et il était tellement content de « se faire la main » sur sa nouvelle invention que j'y ai participé de bon cœur. Diane Bougie, ancienne directrice aux hebdomadaires, s'occupait quant à elle de recruter les clients.

Il avait aussi demandé la collaboration ponctuelle de quelques secrétaires. On aurait dit qu'il ne pouvait jamais résister à la tentation de tester ses capacités, de voir s'il allait encore réussir.

Il fallait me voir recevoir les annonceurs dans mon bureau, les écouter, prendre leur matériel publicitaire et les rediriger rapidement vers la sortie, car je n'avais que deux minutes à leur consacrer. Entre deux coups de fil et l'accomplissement de mes tâches quotidiennes, j'essayais de rassembler des articles à partir des dépliants d'entreprises que me remettaient les annonceurs que Diane Bougie avait réussi à convaincre. M. Péladeau venait à mon bureau, tout heureux, et il écrivait les titres avec un crayon rouge entre deux rendez-vous. *Parlons affaires* était ensuite distribué gratuitement dans la région des Laurentides et de Laval. La seule dépense était le papier. Les locaux ne coûtaient pas cher ; il se servait du coin de son bureau et du coin du mien. S'il avait affirmé que *Le Journal de Montréal* avait été fait à partir d'une table de cuisine, son *Parlons affaires* était une affaire de coins de bureaux.

Nous avions l'air d'un groupe d'étudiants s'adonnant à une activité parascolaire entre les cours. Je prenais l'expérience avec un grain de sel et je me disais que *Parlons affaires* s'éteindrait tout seul au bout de quelques mois, et, qu'enfin, je pourrais consacrer tout mon temps à mes tâches habituelles.

C'était bien mal connaître Pierre Péladeau. J'ai vraiment pu voir à l'œuvre cet artiste du monde des affaires avec cette fantaisie du *Parlons affaires*. Évidemment, il n'avait pas à soutenir les dépenses d'exploitation ordinaires, mais les ventes donnaient des résultats étonnants. Après le troisième numéro, les ambitions de M. Péladeau ne ralentissaient pas ; au contraire, il décida d'embaucher un premier vendeur pour la publicité. Marc Saint-Louis, jeune avocat, fils du juge Saint-Louis, et frère jumeau de Martine, fut l'heureux élu et le premier vendeur officiel en titre de *Parlons affaires*.

M. Péladeau n'avait jamais besoin d'aller très loin lorsqu'il avait besoin de personnes-ressources ; il se trouvait toujours quelqu'un qui connaissait quelqu'un dans son entourage.

« Monsieur P. » continua d'écrire les titres et, de mon côté, en plus d'abouter le contenu des articles, je fus promu éditorialiste !

Le journal se vendait de mieux en mieux Au sixième mois, les ventes avaient atteint une telle stabilité que nous pouvions dès lors embaucher un journaliste à la pige, ainsi qu'un deuxième vendeur. Quant à moi, je demeurais l'éditorialiste et le journaliste de remplacement.

Graduellement, le personnel habituel du 11ᵉ étage du 612 de la rue Saint-Jacques a vu les bureaux envahis par des gens jusqu'alors inconnus qui venaient travailler pour cette publication inusitée qu'était *Parlons affaires*. Personne n'en croyait ses yeux. Ce petit projet, parti de rien, était devenu un employeur de plus en plus important. M. Péladeau recevait régulièrement des coups de fil d'amis qui lui envoyaient des candidats qui se cherchaient du travail, et qui s'intéressaient à Quebecor.

Il les envoyait à *Parlons affaires* et en faisait des vendeurs. Il était infatigable. Il citait très souvent l'adage : « Si tu veux aider quelqu'un qui a faim, ne lui donne pas un poisson, apprends-lui plutôt à pêcher ! »

Non seulement son ambition grandissait en voyant fructifier son passe-temps, mais en plus il nous communiquait son enthousiasme. À un point tel que les employés de *Parlons affaires* sont devenus si nombreux qu'il fallut les loger dans un espace aménagé dans un autre édifice situé au 801 de la rue Sherbrooke.

Vous l'aurez deviné, l'objectif était maintenant que le projet vole de ses propres ailes. Il fallait que *Parlons affaires* absorbe tous ses frais d'exploitation.

La plupart des vendeurs embauchés ne connaissaient rien à la vente. Ils venaient de secteurs complètement différents ou étaient diplômés dans un autre domaine. Pierre Péladeau les encadrait et leur inculquait son savoir. Il les payait à commission. En appliquant les leçons de M. Péladeau, certains ont récolté plus de 60 000 $ par année.

L'équipe de représentants publicitaires dirigée par Diane Bougie a vu défiler des gens très dynamiques. Je me souviens de quelques noms : Rita Fortin, Daniel Blanchette, frère de Manon Blanchette, Martin Leduc, Carole Leblanc qui est aujourd'hui directrice chez Auto Classic de Laval (Mercedes), Ginette Brault, Richard Marcil, Marie-Chantale Dion et un jeune homme que M. Péladeau aimait beaucoup et qui avait grandi près de chez lui à Sainte-Adèle, Stéphane Mastreo Polo.

Parlons affaires était devenu une petite PME au sein d'un empire.

À la mort de Pierre Péladeau, dans la foulée de la restructuration qui s'ensuivit, *Parlons affaires* devait malheureusement disparaître. Le grand mentor n'était plus là pour veiller sur sa création.

Mais ceux qui sont passés par l'école de *Parlons affaires* ont bien tiré parti de l'expérience. L'un de ceux-là, Stéphane Maestro, a décidé de relancer le journal abandonné par Quebecor et il a créé son mensuel, *La Réussite*, inspiré de la formule de Pierre Péladeau.

La Réussite a débuté ses activités à l'été de 1998 et est publié mensuellement depuis. Il est distribué à Montréal et à Québec, et tire à plus de 35 000 exemplaires. On peut l'obtenir en kiosque ou par abonnement. Comme une bonne habitude ne se perd pas facilement, j'en signe, depuis les débuts, à la page quatre, la chronique des bonnes nouvelles et des activités mondaines se déroulant à Montréal.

Chapitre 8

Pierre Péladeau et ses femmes

Il est pratiquement incontournable, pour arriver à tracer un portrait intime de Pierre Péladeau, de parler des relations qu'il entretenait avec les femmes. Il s'agit, bien évidemment, d'un sujet délicat parce qu'il touche de plus près la vie privée de mon ancien patron. Sa vie amoureuse faisait partie de la zone d'autoprotection que j'avais déterminée dès le départ et que j'évitais de franchir. C'était une question d'échange de bons procédés entre patron et adjoint. Mais il fallait être aveugle pour ne pas voir qu'il avait une vie amoureuse bien remplie.

À l'occasion d'un petit déjeuner que je prenais en sa compagnie, chez lui à Sainte-Adèle, il s'était laissé aller à me parler de sa vision de l'amour.

Il croyait qu'il était impossible de passer sa vie avec une seule et unique personne.

Il avait commencé par me dire : « Tu as certaines choses à donner à l'autre, mais tu dois en recevoir aussi. Lorsque tu n'as plus rien à donner ou que tu ne reçois plus rien, il devient inutile de poursuivre la relation. »

Il disait que deux êtres qui s'aiment doivent inévitablement échanger des quantités égales d'amour.

« Tant que ton conjoint te donne ce dont tu as besoin et qu'en retour tu donnes à l'autre ce dont il a besoin, on est amoureux. Autrement, c'est fini. C'est mieux d'aller voir ailleurs, parce qu'il y en a un des deux qui sera malheureux. »

Il était persuadé que les couples qui sont ensemble depuis long-temps ne s'aiment plus d'amour. Pour lui, l'amour était comme un feu qui finit par s'éteindre, un sentiment qui se consume. Il faut alors aller vers quelqu'un d'autre qui ravive la flamme, jusqu'à la prochaine fois.

Pierre Péladeau a connu beaucoup de femmes dans sa vie, et d'après ce que j'ai pu constater, il avait une admiration pour les femmes en général. Sa vision de la femme était universelle. On dit que chaque être humain a toujours un peu du sexe opposé en lui. Il est certain que Pierre possédait un côté féminin, ne serait-ce que pour son instinct, son goût pour le raffinement et la beauté.

M. Péladeau était très possessif envers ses femmes. Il y avait toujours beaucoup de femmes autour de lui. Il ne pouvait vivre sans une présence féminine.

Parmi le personnel de Quebecor, M. Péladeau réussissait plus facilement à établir une relation amicale avec une femme qu'avec un homme. Je dirais que les relations qu'il entretenait avec certains cadres de sexe féminin tenaient presque de la relation père-fille. Il devenait ami avec elles, et c'était comme si elles devenaient ses filles. La compagnie des femmes le mettait à l'aise. À l'opposé, il tenait généralement à distance les hommes. Il montrait une sorte de pudeur au chapitre des sentiments. Il pouvait entretenir des relations d'affaires très intenses avec des hommes, mais elles n'étaient jamais teintées de l'intimité qu'il aurait partagée avec les femmes pour les mêmes dossiers. Il gardait ses rapports avec les hommes, ses cadres par exemple, sur un plan plus professionnel que personnel. Ils travaillaient ensemble, remportaient des succès dans leur spécialité respective, mais il était très rare qu'il soit vraiment intime avec eux. Par contre, il pouvait facilement ouvrir son âme à son personnel féminin.

Contrairement à ce que l'on a véhiculé à son sujet, il ne considérait pas la femme comme un objet. Il la voyait plutôt comme une force de la nature et une richesse dans l'univers. La sexualité de Pierre Péladeau n'était pas animale, elle était intellectuelle. Il cherchait toujours une forme de spiritualité dans ses relations amoureuses.

M. Péladeau avait sa propre philosophie en ce qui concerne le genre de relation qu'il entretenait avec les femmes. Il croyait qu'il cherchait sa mère Elmire chez toutes les femmes. Il en parlait très souvent. Elmire avait une forte personnalité et elle était autoritaire.

Comme il était le cadet de la famille, il a grandi presque seul avec elle. Ses frères et sœurs aînés ont quitté la maison alors qu'il était encore très jeune. Elmire s'est consacrée à son fils Pierre, mais elle était froide et peu démonstrative selon les dires de M. Péladeau. Il racontait qu'elle ne l'avait jamais pris dans ses bras ni embrassé, sauf cinq fois sur le front, et il les avait comptées. Il avait manqué d'affection maternelle, toujours selon lui. Mais, au début du siècle, ce n'était pas non plus très courant dans une famille bourgeoise de montrer ouvertement de l'affection pour les enfants. Les relations parents-enfants étaient très austères. La plupart du temps, les enfants étaient plus près de leur nourrice ou de leur tuteur que de leurs parents. On pensait que les enfants allaient ainsi développer une plus grande force de caractère.

Comme Henri, le père, était déjà ruiné à la naissance de Pierre, la famille Péladeau n'avait plus de bonnes, de chauffeurs ni de majordomes. L'éducation bourgeoise était cependant bien présente. Lorsque son père mourut, Pierre n'avait que 10 ans. Elmire hérita seule de la charge de la famille et de l'éducation de ses sept enfants. Elle sortait peu, mais elle était très cultivée. Elle aimait jouer aux cartes avec ses amies, à condition de gagner. M. Péladeau racontait dans ses discours, car il aimait la citer, que la mise de leurs parties de cartes ne dépassait pas les 10 cents. Mais si elle perdait, elle pouvait être de mauvaise humeur toute la semaine, jusqu'à la partie suivante où elle comptait bien se rattraper. Elle était indépendante pour son époque ; elle fumait, prenait religieusement son petit verre de gin quotidien et adorait le chocolat.

Elmire était une ancienne maîtresse d'école. Elle avait l'habitude de taper sur son pupitre pour se faire écouter. Elle n'acceptait pas qu'on la contredise. Elle était très sévère ; au point de traumatiser le jeune Pierre. Il l'a longtemps détestée. Elle ne pliait jamais. Orgueilleuse, elle n'acceptait pas la défaite ; elle jouait pour gagner. Pierre Péladeau en a fait sa devise.

À l'âge adulte, alors qu'il débutait en affaires et réussissait plutôt bien, sa mère l'idolâtrait. Elle s'intéressait à tout ce qu'il entreprenait et lui donnait des conseils. Elmire a toujours reproché à son mari de ne pas l'avoir écoutée lorsque ce dernier s'est lancé dans un projet qui allait le ruiner en quelques années. Même après son mariage, M. Péladeau rendait visite à sa mère tous les soirs, ce qui était très rare chez les hommes des années 1950. M. Péladeau a souvent répété qu'à maintes reprises, lorsqu'il était dans l'incertitude ou qu'il était désemparé, il allait voir Elmire.

En entrevue, un journaliste lui avait demandé si sa mère était la femme qu'il avait aimée le plus dans sa vie, et il avait répondu :

« Sans aucun doute. Et c'est pourquoi j'ai toujours eu beaucoup de difficulté à répondre à l'amour. J'ai cherché ma mère très longtemps, pour ne pas dire que je la cherche encore ! Enfin, je la cherche un peu moins, mais je ne l'ai jamais trouvée. Ma mère était vraiment extraordinaire. Je m'assoyais devant elle et elle m'admirait. Je le voyais dans ses yeux, et j'adorais ça ! J'aurais pu lui dire n'importe quoi, elle m'aurait cru ! »

De là, peut-on dire que la nature de ses relations avec les femmes s'est fondée sur celle qu'il entretenait avec Elmire ? Il l'avançait lui-même. Il ne s'est jamais caché non plus de l'admiration sans bornes qu'il lui vouait. Il confiait également que la seule fois de sa vie où il pleura, ce fut à la mort de sa mère.

Il recherchait la femme idéale. Sa décision d'épouser Raymonde Chopin, sa première femme, fut prise rapidement. Il connaissait très bien son père qui lui avait par ailleurs prêté l'argent pour acheter sa première imprimerie avec Paul Desormiers et Jean-Jacques Mercier, deux autres partenaires. M. Chopin décida d'aller vivre en Europe, mais il était inquiet à l'idée de laisser sa fille seule.

Pierre Péladeau s'entendait bien avec Raymonde Chopin. Pour rassurer M. Chopin, Pierre proposa à Raymonde, à trois jours d'avis, de l'épouser la veille du départ de son père. Elle accepta sa demande. Le matin de la cérémonie, M. Péladeau se rendit à l'imprimerie et se plongea dans le travail. Il en oublia le temps qui filait. Le prêtre qui bénissait l'union lui téléphona et l'enguirlanda. Pierre Péladeau fonça en direction de l'église et arriva avec 45 minutes de retard. Mme Chopin lui en voulut longtemps. Plusieurs années plus tard, M. Péladeau apprit que son père aussi était arrivé 45 minutes en retard à son mariage. De la façon dont Pierre Péladeau nous a décrit le caractère de sa mère, on peut supposer qu'il dut y avoir quelques étincelles.

Dans l'une de ses entrevues, Pierre Péladeau confia qu'il n'était pas vraiment amoureux de sa première femme. Il se sentait bien avec elle, mais à cette époque il n'avait qu'une chose en tête : faire de l'argent, beaucoup d'argent. Le mariage était secondaire. Mme Chopin, elle, l'aimait. Elle a toujours eu beaucoup d'affection pour lui. Elle voyait un peu de son père en lui. M. Chopin était médecin à l'hôpital Sainte-Justine. Il avait un horaire de travail stable ; tous les soirs, il était à la maison à 5 heures. Elle a cru que la vie avec son nouvel époux serait identique. Malheureusement, Pierre Péladeau était complètement absorbé par son travail. Il partait très tôt le matin et ne rentrait que très tard le soir... lorsqu'il rentrait. C'était l'époque où il consommait de plus en plus d'alcool. Il perdait la notion du temps et de la réalité. Il lui arrivait souvent de rester coucher au bureau dans le but de terminer un travail.

Lorsqu'il a cessé de boire, en 1974, il a compris combien Mme Chopin avait dû être malheureuse et se sentir seule. Elle est tombée malade au début des années 1960, atteinte d'un glaucome. Les médecins ne trouvèrent aucun traitement pour la guérir ni même la soulager.

Croulant toujours sous le poids du travail, Pierre Péladeau décida de faire traiter son épouse dans l'une des meilleures cliniques du monde, en Suisse. Il était convaincu qu'elle y recevrait des soins adéquats et qu'elle y serait mieux traitée. Elle succomba à l'âge de 47 ans, en l'absence des siens.

Ce fut un déchirement profond qui marqua M. Péladeau le reste de sa vie.

Il répondit une fois à un journaliste : « Je regrette beaucoup de choses. Il y a des choses dans la vie que je ne referais pas : l'alcool en premier, avec tout ce que ça implique. »

Dans les années qui suivirent la disparition de sa première épouse, Pierre Péladeau ne changea pas ses habitudes de travail, mais il devint sobre. Il ne reprit plus une goutte d'alcool jusqu'à la fin de sa vie.

* * *

Dans la vie de Pierre Péladeau, il y eut quatre catégories de femmes : ses « femmes-sœurs » ; ses « femmes-filles », ses « femmes-amoureuses » et ses « femmes ex-amoureuses ».

Les « femmes-sœurs » étaient pour ainsi dire de véritables sœurs pour lui. Il n'y avait aucun volet sexuel ou amoureux dans leur relation. Il éprouvait un grand respect pour elles et beaucoup d'affection. Il se confiait à elles sur tous les sujets, personnels ou professionnels. Il avait avec elles une exceptionnelle complicité. Ils ne se rencontraient qu'en privé, rarement au bureau.

Je peux en nommer quelques-unes que j'ai connues comme Gisèle Ducap, voisine qu'il aimait énormément. Lorsqu'il était souffrant, elle lui apportait des soupes. Il lui a confié la direction du Pavillon des Arts de Sainte-Adèle dès l'ouverture et durant plusieurs années ensuite.

Solange Harvey, chroniqueuse au *Journal de Montréal*, maintenant à la retraite, était une autre de ces précieuses amies. Ils se connaissaient depuis longtemps. Il l'avait rencontrée lorsqu'elle traversait une période difficile et ils s'étaient entraidés. Ce qui avait commencé par un simple voisinage s'est transformé en grande amitié. Ils échangeaient à propos des relations homme-femme. Mme Harvey, qui a tenu pendant des années un courrier du cœur sur le sujet, pouvait donner de judicieux conseils à son ami. M. Péladeau n'était pas toujours d'accord avec elle, mais une fois le débat clos, ils redevenaient de bons amis.

Pierre Péladeau croyait à l'astrologie et aux sciences ésotériques en général. Il s'était ainsi lié d'amitié avec quelques astrologues dont Jacqueline Aubry et Andrée d'Amour. Il les appelait régulièrement pour leur demander si c'était une journée propice ou non pour les décisions importantes. Il était très superstitieux. Pour lui, le chiffre 13 était signe de chance. Il avait établi son bureau au 13e étage, et les vendredis 13 étaient des jours favorables.

Il y avait aussi Jacqueline Vézina que Pierre Péladeau aimait bien et avec laquelle il échangeait des confidences. Mme Vézina avait connu M. Péladeau à ses débuts en affaires, et leur amitié s'est poursuivie jusqu'à la mort de ce dernier.

Dans le deuxième groupe, il y avait les femmes qu'il considérait comme ses « femmes-filles », généralement des employées à son service. Il se comportait avec elles comme s'il voulait les protéger de la vie ; il s'inquiétait pour elles, il voulait leur bien, être leur mentor. Avec celles-ci également, il n'y avait aucun volet sexuel ou amoureux. C'était plutôt comme s'il voulait les prendre sous son aile pour leur apprendre à voler. Souvent, ces femmes faisaient partie de son personnel cadre. Quelques-unes travaillaient dans d'autres entreprises. Il prenait à cœur leur réussite. Leur âge respectif variait entre 25 et 50 ans. Il les voyait comme des entrepreneuses et les poussait toujours vers le sommet. Martine Saint-Louis est très certainement la « femme-fille » en qui il avait le plus confiance.

Il accordait parfois d'importantes responsabilités à ses « femmes-filles » dans l'entreprise. Pour donner un exemple de l'attachement qui pouvait se nouer entre elles et lui, Antoinette Noviello, jeune avocate et adjointe du personnel juridique de Quebecor, apporta une rose sur son bureau, tous les jours, du 2 au 24 décembre 1997.

Dans un autre groupe, bien à part, Pierre Péladeau gardait jalousement ses « femmes-amoureuses ». Il entretenait simultanément plusieurs liaisons, car l'amour n'existait pas selon sa philosophie. Il existait des « moments d'amour ».

Il était beaucoup sollicité et il choisissait les femmes avec lesquelles il voulait partager un peu de sa vie. Assez étrangement, même si chacune d'elles savait qu'elle n'avait pas l'exclusivité, aucune n'aurait cédé sa place.

Inévitablement, le personnel immédiat était au courant de ses différentes liaisons. Les femmes venaient rejoindre le grand patron au bureau, ou encore elles l'accompagnaient à des concerts ou à des événements spéciaux. Avec le temps, nous avons fini par les connaître toutes, mais nous essayions toujours d'être très discrets.

Il pouvait entretenir une relation intime avec sept femmes simultanément, fréquentant chacune selon les événements ou selon son humeur. Chacune des « femmes-amoureuses » avait une personnalité différente et il les aimait pour ce qui les différenciait. Ces liaisons n'étaient pas éphémères ; certaines ont duré tout au long des sept années que j'ai passées à son service.

Il y avait une continuité dans son réseau d'amoureuses. Lorsque l'une d'entre elles le quittait ou qu'il se lassait, il en trouvait une autre pour prendre la place. Ce n'était pas de la compétition. Les liens s'établissaient naturellement après une rencontre. Si la dame lui plaisait et s'ils s'entendaient bien, ils se revoyaient, et elle faisait alors partie de son réseau. Par contre, s'il revenait déçu d'une sortie, elle n'entendait plus parler de lui.

Lorsqu'une de ses conquêtes voulait mettre un terme à leur liaison et qu'il n'était pas d'accord, il s'accrochait, exerçant ses dons de séducteur. Parfois, la « femme-amoureuse » cédait et la relation reprenait pour un autre bout de chemin.

Lorsqu'il était en compagnie d'une « femme-amoureuse », il n'était qu'avec elle, lui consacrant tout son temps, laissant de côté les affaires et les préoccupations. Elle devenait le centre de l'univers pour le temps de leur rencontre. Le lendemain, il retournait à son travail ou à une autre femme.

La plupart du temps, ils se retiraient dans l'intimité de sa maison à Sainte-Adèle, mais il n'hésitait pas à s'afficher publiquement avec les femmes qu'il aimait. Parfois, il poussait l'audace jusqu'à inviter deux d'entre elles à la même réception, et à les présenter l'une à l'autre, sans les identifier comme ses amoureuses. Mais elles n'étaient pas dupes. Cette audace donna lieu à quelques flammèches. Le lendemain, il essayait de réparer les dégâts.

Était-il actif sexuellement avec toutes ? Elles seules pourraient vous répondre. En bon mâle chauvin, il prétendait qu'il était d'une forte constitution sexuelle. On peut présumer qu'à un âge avancé, même s'il conserva son pouvoir de séduction jusqu'à la fin, il était plus calme sur le plan physique, mais, en toute franchise, je ne connais pas la réponse.

Pierre Péladeau disait souvent :

« Un homme beau, comme une belle femme, est parfois paresseux, alors qu'un homme moins gâté par la nature va travailler deux fois plus fort pour séduire une femme. La beauté physique n'est pas le critère principal pour plaire aux femmes. »

M. Péladeau n'était d'ailleurs pas attiré par la beauté plastique chez une femme, mais par son charme, sa classe et son intelligence. Il racontait l'histoire d'un de ses amis du même âge que lui, qui sortait avec une jeune fille, une top modèle.

Il lui avait lancé au cours d'une conversation : « Tu sais bien qu'elle est avec toi pour ton argent. »

Son ami lui avait alors répondu tout aussi spontanément :

« Bien, elle est peut-être avec moi pour mon argent, mais j'ai ce que je veux aussi de cette relation : sa jeunesse, sa personne, sa vivacité. Je dépense de l'argent avec elle, mais elle me donne sa présence et son affection. Qu'y a-t-il de mal à ça ? Nous en profitons tous les deux. »

On a souvent dit que si M. Péladeau n'avait pas été riche, il n'y aurait jamais eu autant de femmes attirées par lui. Personnellement, je crois que Pierre Péladeau était avant tout un séducteur. Il savait plaire, riche ou pas. Si une femme le courtisait pour son argent ou pour obtenir des cadeaux et des faveurs, elle était rapidement déçue. Il s'en apercevait tout de suite et il était plutôt parcimonieux avec les cadeaux luxueux. Mais il ne négligeait en rien la qualité du temps qu'il passait avec une amoureuse.

J'ai connu la plupart des « femmes-amoureuses » de Pierre Péladeau et elles étaient en général des femmes formidables. Pour respecter la vie privée de ces femmes, je ne mentionnerai aucun nom.

Parmi les « femmes-amoureuses », il y eut deux sœurs ; l'une habitait Québec, et l'autre Montréal. Chacune connaissait l'existence de la relation de l'autre. L'une d'elles avait un fils handicapé qu'elle élevait seule. M. Péladeau retrouvait chez elle une générosité et un courage face à la vie qui le réconfortaient, lui apportaient du bonheur. C'était une très belle femme et il n'en revenait pas de voir comment elle pouvait arriver à conjuguer la dévotion qu'exigeait les soins de son enfant avec l'accomplissement de sa vie personnelle.

L'autre sœur était une célibataire d'une grande élégance. Elle avait la classe de sa première femme. Elle avait les mêmes goûts. Il partageait avec elle son amour de la beauté, de la musique et des arts. Au bout de quelques années, l'une des deux sœurs, celle qui avait un enfant, fit la connaissance d'un autre homme qu'elle épousa, mettant un terme à leur relation.

Chacune de ses « femmes-amoureuses » avait un trait de caractère particulier qui l'attirait spécialement. C'était le cas de celle que je surnommerai la « réalisatrice de télévision », dont il appréciait le bien-être et la chaleur humaine. Elle lui apportait beaucoup de réconfort.

M. Péladeau ne parlait jamais de ses péripéties amoureuses, mais il lui arrivait de faire appel à nos services, notamment pour le transport.

Un jour de semaine, il me téléphona à 8 heures du matin au bureau :

« Monsieur Bernard, ça va bien ? J'ai renvoyé le chauffeur hier soir. Est-ce que tu viendrais me chercher ?

– Pas de problème, Monsieur Péladeau. Vous êtes à quel endroit ?

– Au Quatre-Saisons. »

S'il passait la nuit en ville, il lui arrivait de louer une chambre dans un grand hôtel, mais il ne prenait jamais de taxi ; il trouvait malpropres les voitures des chauffeurs de taxi. Il préférait monter dans la voiture du messager de Quebecor.

Sans poser plus de questions, je sautai dans mon auto et me précipitai à l'hôtel Quatre Saisons, aujourd'hui appelé Hôtel Omni, situé rue Sherbrooke.

J'arrivai à l'hôtel et je le cherchai à la réception. Il n'y était pas. Je me rendis chez le concierge et je demandai M. Péladeau. Il me répondit qu'il n'y avait pas d'invité inscrit à ce nom. Je vérifiai alors avec le nom de l'amoureuse présumée, car je la connaissais. Personne non plus sous cette inscription. Confus, je décidai d'aller au bureau pensant qu'il s'y était peut-être rendu entre-temps. Il n'y était pas.

Peu après 9 h 15, il me téléphona de nouveau à mon bureau.

« Qu'est-ce que tu fais ? Est-ce que ça va être encore long ?

– Mais Monsieur Péladeau, j'arrive de l'hôtel. Vous n'y étiez pas. »

Il ne s'agissait pas de l'hôtel Quatre Saisons, mais de la station Télévision Quatre-Saisons, située rue Ogilvy à l'époque. Quand je suis finalement arrivé à la porte de la station de télévision, il était dans l'entrée et il m'attendait depuis tout ce temps : une heure et demie. Il avait l'air démuni, tout seul dans ce vaste hall déserté, par un mardi matin glacial.

La réalisatrice a fait partie de sa vie jusqu'à la toute fin. Elle fut d'ailleurs à son chevet pour veiller sur lui pendant qu'il reposait dans un coma profond à l'hôpital Hôtel-Dieu.

Pierre Péladeau fréquentait aussi celle qui est surnommée ici « l'éditrice ». Elle travaillait pour une maison d'édition qu'il convoitait. Il l'avait rencontré au cours d'une de ses conférences qu'elle avait organisée. Sa joie de vivre et sa bonne humeur l'avaient séduit. Elle était pétillante et avait le don de voir le bon côté des choses. Elle était d'un optimisme contagieux. Lorsque Monsieur « P. » faisait le bouffon ou qu'il gaffait, elle gardait le sourire. Elle trouvait toujours un aspect positif à toute situation, même les plus difficiles.

Il y avait aussi « le docteur » dont il aimait la prestance, le dévouement. Elle fut également avec lui jusqu'à la fin.

« La Française » était beaucoup plus grande que lui. Il admirait sa classe, son raffinement. Elle l'accompagnait souvent lors de soirées mondaines où le protocole était de mise. Elle était la seule à croire qu'elle avait l'exclusivité. Elle a toujours ignoré l'existence des autres. M. Péladeau n'était pas certain qu'elle accepterait sa règle de conduite. Mais il avait été franc avec toutes les autres.

Une autre était « la comptable » qui habitait Québec. Une très belle femme, d'un abord simple, très terre-à-terre. Elle cultivait l'ambition de se lancer en affaires et de réussir.

Dès qu'une « femme-amoureuse » montrait des signes de cupidité ou d'intérêt matériel, M. Péladeau s'en apercevait immédiatement. Il s'esquivait alors et passait rapidement à autre chose. Ce fut le cas d'une dame qui œuvrait en relations publiques. Elle suggérait souvent des activités dispendieuses. La maladresse de cette dernière fut de demander à M. Péladeau de prendre son jet privé pour aller un week-end à New York. Il s'est trouvé une excuse pour refuser, parce que son New York c'était Sainte-Adèle. Il a fait un bout de chemin avec elle, mais a fini par s'en éloigner. Elle n'a pas franchi la période de probation de trois mois…

Le principe essentiel, pour moi comme pour tout le personnel masculin dans l'entourage de Pierre Péladeau, était de ne jamais se laisser séduire par aucune de ses « femmes-amoureuses ». Il fallait être prudent et ne jamais laisser planer le moindre doute ni la moindre ambiguïté. Nous ne devions pas jouer dans ses plates-bandes.

Lorsque je suis arrivé chez Quebecor, en 1991 je venais de divorcer. M. Péladeau, dans un élan de générosité, se sentait concerné par mon célibat. Il lui arrivait souvent de vouloir me présenter à quelques-unes de ses connaissances, celles avec lesquelles il n'était pas lié intimement. En bon père, il s'inquiétait de me voir seul. À tout bout de champ, il m'envoyait un « petit papier » pour m'inviter à une soirée ou à un événement en laissant sous-entendre qu'il y aurait de la belle compagnie. Je savais qu'il était en train de jouer à l'entremetteur. Mais l'amour ne se commande pas.

Finalement, la quatrième catégorie des femmes dans la vie de Pierre Péladeau était ses « ex-amoureuses ».

M. Péladeau était au départ très jaloux de ses relations régulières, mais il était encore plus jaloux et plus possessif lorsqu'une amoureuse l'avait quitté. Il ne tolérait pas de voir une « ex » avec un homme, même si lui était loin d'être seul. Pour rester ami avec une « ex », il fallait qu'elle demeure célibataire, comme pour entretenir le projet de reprendre la relation si la flamme se rallumait. De belles amitiés étaient parfois gâchées à cause de son extrême possessivité. Pour lui, si un autre homme prenait sa place, cela équivalait à une défaite. Autant il pouvait être logique en affaires, autant il était irrationnel en amour. Mais, comme on dit, que celui qui n'a jamais péché lance la première pierre.

La conclusion à retenir concernant les femmes de Pierre Péladeau, c'est qu'il valait mieux se le tenir pour dit : rester éloigné des « femmes-amoureuses » ou des « ex-amoureuses » de « Monsieur P. ».

* * *

Plusieurs seront tentés de le juger et de condamner sa conduite amoureuse, mais Pierre Péladeau a eu la grande qualité de vivre au grand jour. Il avait le sentiment de ne rien faire de mal, et il n'y avait pas lieu de cacher quoi que ce soit.

Sa vie amoureuse aura été comme une toile de grand maître ou un royaume digne des mille et une nuits. Pierre Péladeau a régné sur deux empires : celui de l'amour et celui des affaires.

Chapitre 9

Ses amis artistes et les alcooliques

Le plus beau compliment jamais adressé à Pierre Péladeau est venu de Patricia Pitchard. Elle le décrit comme « un artiste des affaires » dans son livre sur la technique de gestion des affaires intitulé : *Artistes, artisans et technocrates dans nos organisations*. L'économiste à la Bourse de Toronto a trié sur le volet quelques hommes d'affaires, de Saint-John à Vancouver, pour tenter de tracer un portrait type. Dans son étude, elle voulait mettre en relief les différentes méthodes de gestion selon les tempéraments et les tendances des chefs d'entreprise au pays. Elle ne donne pas le nom de ses modèles dans son texte, mais elle avait confié à Pierre Péladeau qu'il était un des trois finalistes de son étude. Il y avait un artisan, un technocrate et l'artiste, c'était lui. Elle l'aurait couronné qu'il n'aurait pas été plus flatté.

Il en avait été d'autant plus content qu'il vouait un véritable culte aux artistes depuis toujours. S'il a échoué dans cette voie, il s'est entouré d'artistes tout au long de sa vie. À une certaine époque où c'était à la mode, il a même exploité deux cabarets : *Le Baron*, situé à Cartierville, son ancien quartier, et le *Music Hall* de Montréal que Raymond Lévesque avait lancé. Ce fut dans le même élan qu'il acheta Télévision Quatre-Saisons 25 ans plus tard : il poursuivait le but d'être près des artistes.

D'un autre côté, les artistes ont profité largement de l'apport de Pierre Péladeau. Il contribuait, de plusieurs façons, par ses magazines, ses journaux et son mécénat, à soutenir des organisations culturelles. Sans oublier le travail qu'il fournissait par la même occasion à tous les journalistes, éditeurs et photographes au service de l'une ou l'autre des publications de Quebecor. S'il aidait financièrement à la promotion des vedettes locales et des artistes de variétés, ses idoles étaient cependant presque toutes issues des milieux classique et intellectuel.

Les gens étaient toujours surpris de connaître ses goûts. Par exemple, il avait lu tous les grands classiques en littérature. Il se vantait d'avoir lu tout Balzac. Il avait choisi lui-même les livres qui ornaient la bibliothèque de son bureau du 13e étage.

On lui a souvent demandé, en entrevue, de nommer ses auteurs préférés. Invariablement, la liste contenait les titres suivants : *Les Nourritures terrestres* et *Les Nouvelles Nourritures* d'André Gide ; *Les Vraies Richesses* et *Que ma joie demeure* de Jean Giono ; *Service inutile* d'Henri de Montherlant et *L'Alchimiste* de Paulo Coelho.

J'ai arrêté de calculer le nombre de fois où l'évocation de ces quelques titres a suscité l'étonnement. Dans sa vie publique, Pierre Péladeau était parfois très rustre, mais dans sa vie privée, il n'aimait que la classe, le raffinement. Il pouvait se mesurer aux plus grands avec sa culture. Beaucoup de gens connaissaient son immense talent de négociateur et son flair pour les affaires, mais beaucoup n'avaient jamais soupçonné qu'il était un érudit et qu'il appréciait des lectures aussi intellectuelles. Il n'en faisait jamais grand cas. Il n'aimait pas les snobs, il n'en était pas un non plus. C'était assez paradoxal. Quebecor publiait des livres d'horoscope, des guides pratiques sur à peu près tout, de l'entretien de sa voiture à l'éducation de son chien, mais c'était loin d'être la lecture de chevet de M. Péladeau. Tous les livres de ses bibliothèques, que ce soit celle du bureau ou celle de sa résidence, n'avaient pas été placés là par hasard ou par prétention. « Monsieur P. » les connaissait.

J'ai assisté à un spectacle de Raymond Devos, le 3 avril 1995 à la Place des Arts, en compagnie de Pierre Péladeau. À la fin du spectacle, il était littéralement envoûté par l'éloquence et la subtilité du monologuiste français. Il aimait les histoires, et il a été transporté par celles que M. Devos savait raconter mieux que personne. Pierre Péladeau n'aimait pas l'humour facile, les blagues vulgaires. Il trouvait qu'il y en avait malheureusement trop sur nos scènes. Il avait tellement apprécié Devos qu'il aurait aimé le produire au Pavillon des Arts de Sainte-Adèle.

Il avait des goûts particuliers. Ce qu'il aimait dans une œuvre musicale ou dans une toile, c'était le fini, le polissage, comme s'il pouvait lire l'histoire de l'artiste, sentir les heures de travail et les efforts fournis pour la réalisation de l'œuvre.

Il n'était pas un amateur d'art contemporain, même si Manon Blanchette, son ex-compagne, essaya de l'y sensibiliser. Par contre, il avait confiance dans les recommandations et dans le jugement de cette dernière lorsque venait le temps d'effectuer des acquisitions pour Quebecor ou pour sa résidence. Chaque fois, il faisait appel à son savoir-faire. Cependant, c'est toujours lui qui décidait quels tableaux et quelles sculptures s'ajouteraient à la collection de Quebecor. Il avait l'œil pour les juger.

Il n'y a qu'à faire le tour de sa collection, commencée dans les années 1980, pour se rendre compte de son intérêt soutenu. À sa disparition en 1997, il avait investi plus d'un million de dollars dans des toiles produites par des artistes de grand renom tels que John Alius, Léon Bellefleur, Dominique Bois-Joli, Paul-Émile Borduas, Alexandre Calder, Stanley Cosgrove, Bruno Côté, Jean Dallaire, Litterio Del Signore, Rodolphe Duguay, Marcelle Ferron, Marc-Aurèle Fortin, René Gagnon, Marc Garneau, Helmut Grandsow, Normand Hudon, Catherine Henripin, A.Y. Jackson, Denis Juneau, Jean-Pierre Lafrance, Pierrette Joly, Paul Lancz, Fernand Leduc, Jean-Paul Lemieux, Rita Letendre, Henri Masson, Richard Montpetit, Alfred Pellan, René Richard, Jean-Paul Riopelle, Goodridge Roberts, M.A. Suzor-Côté et Armand Vaillancourt.

La musique était une véritable passion pour Pierre Péladeau. Il travaillait toujours en écoutant une œuvre de l'un ou l'autre de ses compositeurs préférés, qu'il soit en compagnie ou non. Il est même arrivé que des journalistes venus réaliser des entrevues éprouvent des difficultés à capter le son correctement avec leur magnétophone. Au moment de l'écoute, la musique jouait très fort et prédominait sur le ruban, si bien qu'on n'entendait que faiblement M. Péladeau. Les journalistes n'osaient pas toujours lui dire de baisser le volume. C'était la même chose quand il parlait au téléphone.

Il lui arrivait aussi d'interrompre une conversation, en pleine réunion, pour dire :

« Chut ! Écoutez ce passage comme c'est beau. »

C'était un passage qu'il avait certainement entendu et apprécié des centaines de fois. Une dame m'a confié qu'un jour, pendant qu'elle lui parlait de son projet dans son bureau de Quebecor justement, elle remarqua qu'il fixait le plafond. Elle pensait qu'il réfléchissait à ce qu'elle lui expliquait avec soin, mais il était carrément dans la lune, accroché à son extrait préféré. Il a fallu qu'elle recommence son exposé, mais elle avait de la difficulté à garder son sérieux.

* * *

Au plus fort de sa dépendance à l'alcool, il trinquait énormément en compagnie des artistes. Il ne s'est pas rendu compte tout de suite qu'il était alcoolique. À la rigueur, il s'en foutait éperdument tant il était pris par ses journaux, ses imprimeries et l'obsession de grossir son compte bancaire. Il buvait aussi au bureau. À la fin de la journée, quand le travail était achevé, il invitait ses employés et il vidait une bouteille de scotch. Vers 20 heures, le groupe allait manger au restaurant et continuait à boire. Cette petite fête ne se terminait jamais avant les petites heures du matin.

Une personne qui boit le fait pour fuir sa réalité. Quelle réalité fuyait-il ? Il en avait toujours eu gros sur le cœur depuis ses études. Il avait dès lors déjà commencé à trinquer sérieusement. Il a toujours rappelé combien il était difficile d'être sans le sou à l'époque où il allait au collège Brébeuf. Il avait accumulé beaucoup de ressentiment.

Son alcoolisme a suivi la progression normale : plus souvent et toujours plus. Le prétexte est sensiblement le même pour tout le monde : pour soulager la fatigue, on prend un petit remontant.

Il a souvent répété en conférence : « L'alcool est le plus grand dépresseur qui soit ! Plus on en prend, plus on déprime. » S'il avait continué à boire, Quebecor n'existerait certainement pas.

Le soir de son 49e anniversaire, en 1974, il fêta un peu plus que d'habitude. Il se réunit avec des amis dans un bar. La choucroute était copieusement arrosée de vin et de *Schnapps*. Vers 3 heures du matin, il fallait partir, car le restaurant fermait. Un de ses amis était déjà parti. À la sortie, il dit à un autre ami qui l'accompagnait : « Je vais conduire, tu es trop saoul », sans se rendre compte qu'il l'était tout autant. L'automobile tomba dans un fossé. Miraculeusement, ils s'en sortirent indemnes, sauf pour le nez cassé de son comparse.

Le lendemain, il décida que c'en était trop. Il savait que s'il continuait à ce rythme, il se retrouverait au cimetière ou en prison. Ce n'est qu'un mois plus tard, cependant, qu'il se rendit à une rencontre des Alcooliques anonymes, dont il disait :

« Les AA pourraient être définis comme une salle de réunion et une cafetière. »

Il fut d'abord épaté par les gens qu'il y rencontra, des gens qui s'entraidaient, pleins de sollicitude et d'intérêt pour les autres ; des gens comme il n'en avait jamais vus auparavant.

Mais sa décision n'était pas encore complètement prise. Il écouta le type qui parlait devant la salle et jugea qu'il disait des niaiseries. En plus, il avait renoncé à un voyage à Paris en compagnie d'une nouvelle petite amie pour atterrir dans une salle paroissiale.

À la sortie de la réunion, deux hommes lui remirent un carton d'allumettes avec leurs coordonnées et leur prénom seulement : Guy et Albert. Ils lui soulignèrent en partant : « Si tu as besoin de nous, appelle. »

Ils étaient étranges, ces deux hommes. Pierre Péladeau n'avait jamais eu besoin de personne. Mais ils l'avaient intrigué. Il ne comprenait pas pourquoi ils lui avaient offert leur aide. Lui emprunter de l'argent ou lui demander un service du même ordre peut-être ? Ceux qui l'ont entendu dans les rencontres des Alcooliques anonymes connaissent la suite :

« Je suis retourné à la rencontre. L'homme qui partageait son vécu ce soir-là parlait de ses affaires. Il avait fait 100 000 dollars, en avait perdu 100 000 mille, puis gagné 200 000 mille, et perdu 300 000 mille. Je l'écoutais et je me disais : ce gars-là ne connaît rien à l'argent. Ça se peut pas de faire ça avec de l'argent. C'est un menteur. Je me suis rendu à la table au fond de la salle et j'ai pris un café. Un gars qui se tenait là m'a demandé ce que je pensais du témoignage. Je lui ai répondu que c'était du *bluff*, que son histoire ne tenait pas debout et qu'il m'avait ennuyé. L'autre m'a dit : "T'as peut-être raison. Mais s'il a besoin d'en parler, ça lui fait du bien." J'ai été frappé par ses paroles. C'était un fait, le gars n'avait pas de compte à me rendre. Je n'avais aucun droit de le juger. Ce n'était pas de mes oignons. »

C'était le 20 mai 1974, et Pierre Péladeau n'a jamais repris une goutte d'alcool depuis. Il a multiplié les réunions des AA, et il s'est en quelque sorte réconcilié avec Dieu. M. Péladeau avait toujours dit, jusqu'à ce moment, que Dieu était mort, comme Nietzsche, son philosophe préféré de l'époque.

Il expliqua : « La philosophie des AA nous fait découvrir des forces spirituelles insoupçonnées qui, par la suite, nous permettent de reprendre notre vie en main. Aucune méthode scientifique de réhabilitation ne remplacera jamais la chaleur humaine et l'attention personnelle. J'avais tout essayé dans la vie. J'avais des voitures, des maisons, des entreprises prospères. Et même plein de femmes. J'avais fait le tour du monde plusieurs fois. Et pourtant, je n'étais pas heureux parce que je n'avais aucune sorte de vie spirituelle. Quand je suis entré dans les AA, je n'étais pas physiquement malade, mais j'avais l'âme malade. J'étais plein d'agressivité, de ressentiments, de rancœurs, vide d'amour. J'ai souvent dit à des amis qu'ils apprendraient plus à une réunion des AA qu'en lisant tout Balzac et Dickens. Balzac a scruté l'âme humaine, les AA nous la font vivre. »

C'est aussi chez les AA qu'il apprit l'entraide, d'où la générosité qu'il acquit au cours des années ultérieures.

Il dit dans la même conférence : « Il faut s'aider les uns les autres, sans poser de questions sur le statut social, éducatif, culturel, sans s'interroger sur les diplômes des autres. J'ai contribué à fonder et à maintenir des maisons de réadaptation, tant pour les alcooliques que pour les drogués. Mais il en faudrait plus. Peut-être que les gouvernements pourraient forcer davantage l'industrie de l'alcool à financer ces maisons. L'industrie pharmaceutique doit, elle aussi, distribuer une part de ses profits pour lutter contre la toxicomanie. Nous devrions exiger du gouvernement qu'il oblige les entreprises d'alcool à inscrire sur leur étiquette que l'usage de leur produit peut causer la mort comme on l'exige pour les paquets de cigarettes. Il meurt pas mal plus de personnes à cause de l'alcool qu'à cause de la cigarette, ça me semble facile à constater. »

« Monsieur P. » tenait à rédiger lui-même ses discours sur l'alcoolisme, et il y mettait beaucoup d'attention et de cœur. Ses descriptions traduisaient parfaitement, selon lui, ce que l'alcoolisme signifiait dans la vie de tous les jours.

M. Péladeau disait : « Il faut se rendre compte qu'aussi considérables que soient nos efforts pour corriger la situation, nous ne nous attaquons qu'aux "effets" de ces maladies. Il reste le problème de la cause, de la racine de tous ces maux. Nos efforts doivent aussi porter sur la prévention, et avant tout sur l'éducation. Il n'y a pas de solution miracle, et on n'a pas encore trouvé de remède. S'adonner à la drogue sous toutes ses formes, médicaments, alcool, cocaïne, héroïne, même la cigarette, repose sur un dénominateur commun : vouloir fuir la réalité et aussi, souvent, un manque profond d'amour, d'acceptation des autres. Ne pas être capable de vivre, de supporter, d'endurer la réalité.

Il y a cause à effet, la consommation de drogues a pour conséquence un profond sentiment de culpabilité. À son tour, la culpabilité entraîne l'insécurité et la dévalorisation de la personne avec toutes les peurs que cette déchéance entraîne, jusqu'à l'agressivité responsable du déchaînement de la violence.

Il faut aider ceux qui sont touchés par ces problèmes à se prendre en main, à se valoriser, à tourner la page sur le passé, à trouver la joie par l'amour les uns des autres pour finalement déboucher sur la découverte d'un être suprême. »

Personnellement, je ne comprenais pas très bien comment fonctionnait cette fraternité qui unit les alcooliques ou les gens aux prises avec des problèmes de dépendance à la drogue. On m'a expliqué qu'il fallait avoir vécu cet enfer pour comprendre. Comme je ne souffrais pas de cette maladie qu'est l'alcoolisme, j'étais un peu dans l'inconnu, mais Pierre Péladeau ne me demanda jamais de participer à l'œuvre des AA. Il le faisait seul, sans en parler ni importuner les employés de Quebecor ou ses amis qui n'avaient pas ce problème.

Après avoir quitté Quebecor, j'ai su que M. Péladeau avait aidé un nombre incalculable d'anciens alcooliques. S'il y en avait au 612 de la rue Saint-Jacques Ouest, je ne les ai jamais remarqués.

Mais M. Péladeau m'a cependant raconté qu'il avait aidé nombre de ceux qui trinquaient avec lui au début du *Journal de Montréal*. Plusieurs, comme lui, en ont parlé publiquement afin de donner l'exemple, de montrer que l'on pouvait s'en sortir, à condition de le vouloir vraiment. Ceux qui demandaient de l'aide de Pierre Péladeau en recevaient. C'était automatique.

Par contre, lorsqu'il recevait à sa résidence ou même à l'occasion de ses fêtes annuelles, il ne négligeait rien. Il y avait à boire pour tout le monde et en quantité. Il disait que ce n'est pas parce que lui ne pouvait pas boire qu'il devait en priver les autres. Il avait cependant l'œil pour repérer ceux ou celles, parmi ses invités, qui avaient la « maladie de l'âme ». Il ne leur en parlait jamais, mais il s'informait toujours de ce qui leur arrivait, pour leur faire savoir qu'il était là pour eux, n'importe quand. Et c'était vrai.

J'ai souvent reçu des appels de gens qui ne le connaissaient pas très bien, mais qui avaient entendu parler de son passé et de son dévouement pour la cause des alcooliques. Il y avait des situations presque inconcevables où des familles vivaient de véritables calvaires causés par l'alcoolisme d'un ou des parents.

M. Péladeau répondait à ces appels. Il écoutait leur histoire et dans la quasi-totalité des cas, il organisait très rapidement son groupe de secours. Mais il était si discret à propos de ces personnes que la plupart du temps je ne savais ni leur nom ni ce qu'il leur était advenu. Je sais seulement que la chose s'est produite des dizaines de fois.

J'ai cependant été témoin d'un sauvetage. Il s'agissait d'un artiste, très connu et très aimé du public. Il connaissait beaucoup de succès dans sa carrière. Puis, après une année, il ne travaillait presque plus ou pas du tout. Il perdit tous ses contrats. Habitué qu'il était de mener un grand train de vie, il s'est très vite trouvé sans argent. Mais il en avait toujours pour boire. Il était marié et père de deux enfants tout à fait charmants. Jamais sa femme n'avait laissé paraître quoi que ce soit des problèmes que la famille vivait. En public, ils avaient l'air heureux et unis. Mais M. Péladeau avait deviné tout de suite la situation.

C'est en pleurs que la femme téléphona un jeudi après-midi. Ils étaient à la rue. Ils n'avaient plus de voiture, plus de meubles. Tout avait été saisi. Lui, était allé vivre chez des amis, et elle, ailleurs avec les deux enfants, sans un sou. Mais il continuait de boire, sans arrêt. Elle aimait son mari, et n'était pas capable de le quitter. Pour elle, et pour M. Péladeau, il allait mourir très certainement.

Pierre Péladeau consola la dame en lui disant :

« Ne vous inquiétez pas, je m'occupe de tout. Cessez de pleurer maintenant. Préparez vos affaires, je vous envoie le chauffeur demain midi. Vous vous en venez chez moi à Sainte-Adèle. »

Il tint promesse. Le lendemain, son chauffeur alla chercher la mère et ses deux enfants. M. Péladeau communiqua également avec le mari pour lui demander de venir chez lui pour le week-end, mais sans autres explications.

Heureux de profiter de l'hospitalité de M. Péladeau, et surtout de son bar, le mari accepta aussitôt. Ils passèrent la fin de semaine ensemble, et M. Péladeau ne dit rien à propos du problème de son ami l'artiste. Ce dernier était en fête et continuait de parler de sa carrière comme s'il était sur un gros coup, et qu'il allait se refaire financièrement.

Pierre Péladeau connaissait l'histoire par cœur comme s'il l'avait écrite. Il était passé par là lui aussi. Le dimanche soir, l'artiste prépara ses affaires pour retourner en ville. Alors qu'il était à la porte, M. Péladeau prit sa valise et il lui dit :

« Tu t'en viens avec moi. »

Son épouse m'a raconté qu'un miracle s'était produit ou alors qu'il s'agissait d'une intervention divine. Elle avait essayé pendant des années de convaincre son mari de cesser de boire, elle et tous les amis du couple, mais c'était comme parler à un mur.

Devant Pierre Péladeau, il n'avait pas rouspété ni discuté. Il n'a pas dit un mot, et il l'a suivi comme quelqu'un qui vient de se faire prendre à voler. M. Péladeau l'a fait conduire à la maison d'Ivry-sur-le-Lac et il a vu personnellement à ce qu'il y suive une cure fermée pendant 15 jours. Il a hébergé la femme et les enfants pendant tout ce temps pour leur permettre de se reposer et pour les préparer à l'« après-brosse ».

« Monsieur P. » se souvenait aussi de l'adaptation à la vie sans alcool. Il en avait lourd sur le cœur, en 1974, lorsqu'il a dégrisé. Il a compris tout ce qu'il avait perdu au profit de la maudite boisson, et qu'il ne récupérerait jamais, en affaires, en amitié, et surtout, en amour.

« Le plus difficile fut de reconnaître le mal que j'avais causé à plusieurs personnes par les bêtises et les conneries que j'ai faites. J'aurais pu m'en passer, et ces personnes aussi ! Si c'était à refaire, je ne passerais pas par cette route. Mais je ne peux pas recommencer, et il faut apprendre à vivre avec. »

* * *

J'ai compris en lisant les textes de Pierre Péladeau, après son décès, et en discutant avec des gens qui avaient vécu le même enfer, à quel point on peut être écorché par de longues années d'ivresse. Les réactions, les sentiments, les frustrations sont souvent les mêmes, l'ébriété en moins. Tout ou presque prend des proportions décuplées par l'alcool. On devient colérique pour des riens, on est susceptible, on ne maîtrise pas ses sentiments. J'ai alors compris pourquoi « Monsieur P. » était tellement sensible et à fleur de peau, d'où lui venait également ses antennes et sa générosité. Il était entier, jamais de demi-mesure.

La dernière activité de financement pour aider les alcooliques à laquelle a participé Pierre Péladeau fut la soirée annuelle du Pavillon Ivry-sur-le-Lac présentée au Sheraton de Laval le 28 novembre 1997. Il subit son attaque quatre jours plus tard.

Quand il était dans la vingtaine, Pierre Péladeau disait que Dieu était mort. À la fin de sa vie, en toute sobriété, il disait que lorsqu'il avait cessé de boire, c'était le diable qui était mort.

Chapitre 10

Le pouvoir et la société

Le pouvoir peut prendre plusieurs formes, mais celui qu'une personne exerce sur un groupe est bien souvent régi par des lois non écrites. Un personnage est plus respecté qu'un autre parce qu'il est un modèle par ses agissements, qu'il inspire la motivation ou la peur ou tout simplement parce qu'il veut s'imposer et qu'il accapare le pouvoir par toutes sortes de moyens.

Le film *Le Parrain*, réalisé par Francis Ford Coppola, d'après l'œuvre de Mario Puzo, est une excellente illustration du pouvoir. Dans ce film, Don Corleone règne sur un empire et sur la communauté environnante, entouré de ses deux fils, Sonny et Michael, ainsi que de l'avocat Tom, son *consigliere*. Le Parrain dirige une vaste entreprise commerciale, mais il impose également son pouvoir dans toutes les sphères de la société.

Don Corleone est l'homme à qui tout le monde vient demander de l'aide et de l'assistance. Il ne les déçoit jamais. Il ne fait jamais de promesses vaines, il est efficace. Il n'a pas à être votre ami pour vous aider, mais vous devez être le sien. Corleone ne demande rien en échange des services qu'il rend, mais vous savez que tôt ou tard, il pourra faire appel à vous et vous devrez lui renvoyer l'ascenseur.

Pierre Péladeau, comme beaucoup d'autres leaders de notre société, était une sorte de « parrain », la criminalité en moins. J'ai d'ailleurs mentionné un jour à M. Péladeau qu'il me faisait penser à Don Corleone. Il a ri et il m'a dit que j'avais raison. Le pouvoir est quelque chose de mystérieux, mais comme le déclare Al Pacino dans le film, le pouvoir n'est jamais donné, il faut s'en emparer. Péladeau était d'accord avec cette interprétation.

Pierre Péladeau savait accaparer le pouvoir et il encourageait son entourage à en faire autant. C'est un grand talent que de savoir s'imposer auprès des autres et les gens qui le possèdent sont généralement les leaders de notre société, que ce soit pour faire le bien ou le mal.

M. Péladeau avait du cœur, tout comme le personnage interprété par Marlon Brando. Il savait se faire respecter, il était craint et, surtout, il ne fallait pas l'attaquer injustement, car il savait se défendre. La réalité dépasse parfois la fiction, et *Le Parrain* aurait pu être l'histoire de Pierre Péladeau.

* * *

Pierre Péladeau avait bâti un réseau social très impressionnant autour de Quebecor. S'il avait besoin d'un service, il savait à qui s'adresser et sur qui il pouvait compter.

J'ai personnellement pu constater l'étendue du pouvoir de M. Péladeau et son influence sur la société lors de la sélection des invités pour les dîners qu'il organisait à Sainte-Adèle, avant les concerts hebdomadaires tenus au Pavillon des Arts. L'idée lui était venue, au début de 1995, après avoir été invité à un événement semblable chez son voisin André Bérard. Ce dernier recevait chaque samedi des personnalités, provenant de divers milieux, à sa résidence secondaire du lac Masson. Péladeau s'était dit qu'il pourrait être intéressant de faire la même chose chez lui. Il me demanda de lui proposer une sorte de scénario du déroulement de la soirée et d'inviter les personnalités dont les noms apparaissaient sur une liste qu'il avait dressée.

Ces dîners me permirent d'échanger avec des personnes influentes et de voir le genre de relations que M. Péladeau entretenait avec elles.

Au début, ces dîners avaient lieu presque tous les week-ends. M. Péladeau choisissait les menus avec le traiteur et dressait le plan de table. Les repas qui comportaient toujours cinq services étaient accompagnés des vins choisis par l'hôte lui-même. Pour adoucir les mœurs, il tenait également à la présence d'un orchestre de chambre.

Comme il se doit, il proposait le transport en hélicoptère à tous ses invités. En fait, il espérait les balader dans son appareil, parce qu'il voulait partager ce plaisir avec les gens qu'il aimait. Généralement, on prenait une photo des invités que l'on publiait dans *Le Journal de Montréal*, le lundi matin.

Tout le pouvoir financier et toute l'élite du Québec ont été reçus à sa résidence de Sainte-Adèle. Après le dîner, il passait du côté du Pavillon des Arts pour assister à un concert de musique classique.

Il choisissait lui-même ses invités, toujours quatre couples, en variant les thèmes et les personnages. Pour être inscrit sur cette liste, il fallait tout de même répondre à quelques critères dont, au moins, celui d'être l'ami de Pierre Péladeau. Les invités étaient généralement des gens qu'il connaissait, mais qui ne se connaissaient pas nécessairement entre eux. Il lui fallait donc créer une dynamique.

Ces dîners étaient conviviaux. Les gens étaient très heureux d'y être invités. Nombreux aussi sont ceux qui découvraient le côté charmant de Pierre Péladeau au cours de ces repas.

Il a déjà invité Réjean Tremblay et Fabienne Larouche, au moment où ils faisaient vie commune. « Monsieur P. » avait bien hâte de rencontrer Mme Larouche. Réjean Tremblay s'est présenté, mais sans Fabienne qui était retenue par un problème de santé. M. Péladeau fut déçu. Il aimait bien Réjean, mais il trouvait Fabienne beaucoup plus jolie. Il avait proposé le poste d'éditeur du *Journal de Montréal* à M. Tremblay dans le passé, mais les deux hommes n'avaient pu s'entendre sur la rémunération.

Parmi les autres personnalités invitées, liées au monde des médias, il y eut également Simon Durivage, toujours très gentil et très respectueux. Il avait fait quelque temps auparavant une rétrospective pour la télévision sur la vie d'étudiant de M. Péladeau. Ce dernier l'avait tout de suite aimé pour sa spontanéité et sa simplicité.

Gilles Proulx plaisait au grand patron de Quebecor pour sa fougue, et il fut lui aussi invité. Le coloré journaliste était également un ami intime de Ben Weider, culturiste de renom. Pierre Péladeau respectait M. Weider et il savait reconnaître l'immense succès de cet homme d'affaires. Il l'avait connu au centre du père Marcel de

La Sablonnière, auquel Ben Weider a beaucoup contribué en fournissant de l'équipement et des accessoires de sport. Péladeau savait que je m'entraînais dans un gymnase avec des poids. Aussi, lorsque Ben Weider organisa une réception à l'occasion de l'anniversaire de M. Proulx, le 5 avril 1997, réception à laquelle il avait invité M. Péladeau, celui-ci me transmit l'invitation. Un conflit d'horaire empêchait M. Péladeau de s'y rendre et j'avais été délégué à sa place pour le représenter. Le pauvre M. Weider était bien triste et déçu de me voir arriver seul, sans M. Péladeau. Il m'a cependant accueilli chaleureusement dans sa résidence et m'a montré, comme aux autres invités, son immense collection de souvenirs historiques concernant Napoléon. M. Ben Weider et moi avons gardé le contact par la suite, et j'ai beaucoup de respect pour ce grand Québécois.

La juge Andrée Ruffo a participé, elle aussi, à un de ces repas. M. Péladeau l'a toujours appuyée. Il trouvait qu'elle faisait un travail valable pour les jeunes et il l'avait encouragée dans la création de sa fondation. Malheureusement, il n'a pas pu y prendre une part aussi active qu'il l'aurait souhaité : avec toutes ses activités et ses œuvres, il finissait par manquer de temps. Il admirait la juge Ruffo pour son audace, surtout lorsqu'elle bravait la rectitude politique, et pour sa volonté d'aider les enfants et les adolescents démunis.

Un soir, M. Péladeau invita Jean-Luc Mongrain, Stéphane Bureau, Denise Bombardier et l'ambassadeur de la France, Alfred Siefer Gaillardin, qu'il plaça côte à côte dans son plan. Il salivait en pensant à la conversation qu'ils échangeraient. Hélicoptère ou pas, il arrivait que le climat vienne couper court à ses plans. Il y eut une violente tempête dans la journée, et seuls Stéphane Bureau et l'ambassadeur parvinrent à se rendre à Sainte-Adèle.

Les professionnels du milieu de l'édition croyaient que Pierre Péladeau et Claude Charron, ancien propriétaire de Trustar, se détestaient. Bien au contraire. Ils étaient régulièrement en communication et ils avaient travaillé ensemble. Claude Charron, qui fut invité à l'un des dîners, est la seule et unique personne au Québec à avoir vendu le même magazine à deux reprises. Exceptionnel ! La première fois, *Le Lundi*, que M. Charron avait fondé en 1976, fut vendu au moment où il se départissait des éditions Québec Mag, en 1984. Cinq ans plus tard, à la fin de 1989, respectant les termes d'une entente de non-concurrence, M. Charron fonda Trustar et implanta avec un immense succès le nouveau magazine *7 Jours*. En 1992, Quebecor, propriétaire de Publicor et du magazine *Le Lundi*, dut revendre cette publication à Trustar, car on n'arrivait pas à la rentabiliser. Finalement, *Le Lundi* redevint à nouveau la propriété de Quebecor, lorsque les Publications TVA en firent l'acquisition au milieu de l'année 2000.

Selon moi, Claude Charron et Pierre Péladeau ont été les plus grands éditeurs de magazines au Québec. Ils ont su monter des publications intéressantes et captiver les lecteurs.

Pierre Maisonneuve fut également un invité aux dîners de «Monsieur P.». Il réalisa une première entrevue le 25 octobre 1995 au sujet du référendum. La deuxième entrevue, en août 1997, présentée à Radio-Canada et publiée par la suite, est sans aucun doute l'une des meilleures jamais réalisées par un journaliste sur l'homme et sur le personnage. Ce journaliste avait préparé son entretien avec beaucoup de soin et un grand respect. Je dois admettre que jamais auparavant Pierre Péladeau ne s'était livré à un journaliste comme il l'a fait avec M. Maisonneuve. Il lui a révélé des confidences que je n'avais jamais entendues auparavant, avec une franchise et une candeur authentiques.

Pierre Péladeau convia également Marcel Béliveau à sa table. Ce dernier lui avait par ailleurs joué un tour pendable dans sa célèbre série *Surprise sur prise*. On se souviendra de la scène du poste de péage fictif où M. Péladeau est arrêté dans sa Mercedes, et où on lui réclame un droit de passage exagérément élevé. Bien sûr, «Monsieur P.» s'y oppose de la façon colorée qu'on lui connaît. Quand la scène se termine, au grand soulagement de M. Péladeau, on voit Marcel Béliveau, tout fier de sa réussite, aller saluer sa victime. Mais une victime avec une bonne mémoire et plus d'un tour dans son sac. Quelques mois plus tard, le créateur de *Surprise Sur prise* demanda une rencontre avec son ami et grand patron de Quebecor. Marcel Béliveau avait conçu un nouveau projet de télévision et il cherchait une commandite de prestige. Il fut reçu au 13e étage avec tous les égards habituels. Pierre Péladeau l'écouta pendant une heure présenter le projet en question en lui posant des questions plus tordues et plus embêtantes les unes que les autres. À la fin,

M. Péladeau monta sur ses grands chevaux et commença à insulter son interlocuteur sur la piètre qualité de son nouveau produit, sur la manière dont il pouvait lui faire perdre son temps si précieux à écouter des futilités, et ainsi de suite. Le pauvre Marcel Béliveau était très mal à l'aise. Tout ce qu'il voulait à ce moment-là était de sortir de ce bureau en quatrième vitesse. Voyant qu'il était en train de l'achever, Pierre Péladeau éclata d'un rire tonitruant en disant à son invité en sueur qu'il ne s'agissait que d'une blague. Il était maintenant satisfait de sa vengeance pour l'histoire du péage. L'histoire ne dit pas si M. Béliveau a obtenu sa commandite. Je n'étais pas présent pour assister à la scène ; elle m'a été racontée.

Beaucoup d'autres artistes furent aussi invités chez Pierre Péladeau. Il aimait beaucoup Danielle Ouimet. Nous sommes d'ailleurs allés, M. Péladeau et moi, à quelques reprises à Québec pour participer à son émission *Bla bla bla*. J'ai eu l'occasion de constater le talent d'animatrice de l'ancienne actrice de cinéma. Il est certain que si M. Péladeau avait vécu, il aurait aimé l'avoir à une émission à l'heure de pointe à TQS.

Parmi les autres artistes ou écrivains qui ont été reçus à la résidence de M. Péladeau à Sainte-Adèle, on retient les noms de : Gaston L'Heureux, Serge Turgeon, Jean-Pierre Ferland, dont il considérait la chanson *Envoye à maison* comme sa favorite, Renée Martel, Arlette Cousture, Pierre Vadeboncœur, Louis Lalande, Monique Lepage, Louisette Dussault, Andrée D'Amour, Andrée Champagne, la première Donalda, Charles Tisseyre, Marguerite Blais, Michel Forget, Louise Deschâtelet, Pierre Marcotte, le couturier Jean-Claude Poitras et Agnès Grossmann, chef de l'Orchestre métropolitain.

Parmi les invités issus du milieu des affaires, André Chagnon, le fondateur de Vidéotron, fut l'un des premiers. Même si les deux hommes se respectaient, ils ne se fréquentaient pas beaucoup. M. Chagnon était pratiquement l'opposé de M. Péladeau dans sa vie privée. Il a toujours été l'homme d'une seule femme, il n'a jamais abusé de l'alcool et il était très réservé, voire timide.

Peu de temps après l'acquisition de TQS par Quebecor, la direction de TQS a commencé à recruter le personnel de TVA. La tactique n'a pas plu à M. Chagnon et il a passé le message que TQS devait bâtir son propre réseau sans avoir recours au personnel de

TVA. On peut présumer que si M. Péladeau avait vécu les premières années d'exploitation de TQS, il aurait croisé le fer avec M. Chagnon à un moment donné.

À la même table que M. Chagnon, Pierre Péladeau avait également invité André Bérard, de la Banque nationale, Claude Charron et Bernard Landry qui était alors vice-premier ministre dans le gouvernement de Lucien Bouchard.

C'est à cette occasion que j'ai pu découvrir l'intégrité de Bernard Landry. Non seulement il avait catégoriquement refusé l'offre de transport en hélicoptère, mais il voulait que tous les membres de son cabinet en fasse autant. Pour lui, il n'était pas question de profiter d'un service, si simple soit-il, afin d'éviter toute forme de conflit éventuel, présent ou futur.

Bernard Landry m'a dit : « Nous avons les moyens de transporter nos ministres et je ne veux pas que le moindre doute soit soulevé quant à votre invitation. Je vais aller dîner chez M. Pierre Péladeau, mais avec notre voiture. »

Pauline Marois s'était jointe aussi à une occasion, de même que Louise Beaudoin. Cette dernière ne connaissait pas personnellement Pierre Péladeau, mais il estimait le travail qu'elle consacrait à la souveraineté et la passion qu'elle y vouait. Parmi les autres politiciens invités, M. Péladeau convia également Serge Ménard à la même table que Gérald Larose. Cette brochette d'invités donnait lieu à des conversations animées, mais toujours cordiales, et surtout très intéressantes.

Sur le plan des affaires et de la politique, on remarque tous les grands noms du Québec parmi les invités de Pierre Péladeau à Sainte-Adèle : Les Drs Réjean Thomas et Yves Lamontagne, les ministres Louise Harel, Rita Dionne-Marsolais et David Cliche, les maires Gilles Vaillancourt, de Laval, et Pierre Grignon, de Sainte-Adèle, la syndicaliste Monique Simard, Jean-Claude Scraire de la Caisse de dépôt et placement du Québec, Pierre Laurin, les juges Pierrette Rayle et le grand ami de Pierre Péladeau, Bruno Cyr, Corinne Côté-Lévesque, l'épouse de René Lévesque, les avocats Dominique Charron et Colin A. Gravenor, associé de M. Péladeau dans le Pavillon des Arts, et Suzanne Anfousse, son avocate personnelle durant ses dernières années.

Les dîners ont cessé au début de l'été 1997. La résidence de Sainte-Adèle n'ayant pas l'air climatisé, les repas devenaient inconfortables durant les grandes chaleurs d'été. On devait normalement reprendre l'activité à l'automne 1997, mais d'une obligation à l'autre, M. Péladeau n'a jamais pu être disponible et aucun autre dîner n'a été organisé avant son décès.

* * *

Lorsque l'on est un personnage du calibre de Pierre Péladeau, on devient un centre d'attraction. Au Québec, tout le monde le connaissait. On le rappelait lorsqu'il laissait des messages. Il pouvait parler à qui il voulait. Il avait aussi élaboré un réseau très enviable de personnes-ressources dans tous les secteurs d'activité, industriel, politique, social et, bien sûr, artistique.

M. Péladeau aimait les jeunes et il ne ratait jamais une occasion de les encourager, les pousser à voir grand, à oser, à toujours aller plus loin. Nous étions de passage à Rivière-du-Loup le 3 novembre 1994 pour une conférence que M. Péladeau devait prononcer dans une école. Il y a fait la connaissance de Mario Dumont, leader de l'Action démocratique. Il l'avait trouvé très énergique et bien jeune pour être aussi actif en politique.

« Il a des bonnes idées, le jeune, avait-il dit par la suite. Il a du potentiel. Il ira certainement loin. »

Ils s'étaient simplement serré la main et avaient échangé quelques mots. Mais c'était suffisant pour que Pierre Péladeau se fasse une idée.

* * *

Face à la société québécoise et canadienne, Pierre Péladeau voulait être respecté et considéré au même titre que ses collègues de même statut. Il aimait que la renommée de Quebecor dépasse les frontières du Québec. Au début de sa carrière, contrairement à Conrad Black, qu'il citait souvent, Pierre Péladeau visait le territoire provincial, mais une fois qu'il l'eût conquis, il se mit à viser plus loin.

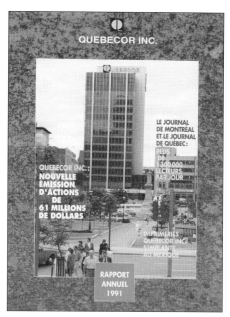

Pierre Péladeau participait activement aux décisions concernant l'image de Quebecor. Ainsi, il choisissait lui-même les photos illustrant la page couverture des rapports annuels. La couverture du rapport annuel de 1991 représentait, selon lui, le rapprochement entre son empire et la population.

Pierre Péladeau considérait l'édifice du 612 de la rue Saint-Jacques comme le symbole de la puissance et de l'ampleur de Quebecor.

PIERRE PÉLADEAU

Montréal, le 25 novembre 1997

Monsieur Bernard Bujold
Quebecor inc.
612, rue St-Jacques
Montréal (Québec) H3C 4M8

Mon cher Bernard,

Le gros party de Noël c'est à Ste-Adèle que ça se passe !

Le Chanteclerc sera à nous, nous mangerons, nous rirons,
nous nous embrasserons, nous serons heureux !

Je vous y attends avec elle (lui) le samedi 13 décembre.

Pierre Péladeau

R.S.V.P.   Avant le 5 décembre
                auprès de Chantal Chabot, poste 1376

Cocktail :   18h00
Souper :   19h15

Chanteclerc :   1-800-363-2420

Invitation pour le *party* de Noël de 1997, lequel n'aura jamais lieu.

Pierre Péladeau aimait rencontrer ses employés et ses cadres. Il recevait chaque année, à l'occasion de Noël, plusieurs centaines d'entre eux lors d'un souper gastronomique accompagné d'un spectacle, soit à Sainte-Adèle ou dans un hôtel de Montréal. De gauche à droite : Pierre-Karl Péladeau, Pierre Péladeau et Bernard Bujold. (Photo prise en décembre 1992.)

Bernard Bujold et Pierre Péladeau lors d'une réception de Noël. (Photo prise en décembre 1994.)

En saison estivale, Pierre Péladeau organisait un pow-wow à sa résidence de Sainte-Adèle où employés et cadres de Quebecor se mêlaient aux vedettes du Québec et d'ailleurs. Une vraie fête à l'américaine. De gauche à droite : Pierre Péladeau, Carole Gagné et Bernard Bujold.

Vue du vaste jardin et de la piscine de Pierre Péladeau,
à sa résidence de Sainte-Adèle.

Le Pavillon des Arts de Sainte-Adèle a reçu plusieurs centaines d'artistes du monde musical ou des arts visuels. Le sculpteur Armand Vaillancourt a exposé au Pavillon. Pierre Péladeau aimait beaucoup la combativité du sculpteur. Une œuvre d'Armand Vaillancourt est installée dans la cour extérieure avant du *Journal de Montréal*.

Chaque concert présenté au pavillon accueillait une vedette du milieu artistique. Edgar Fruitier présente ici le violoniste Alexandre Da Costa qui tient un stradivarius prêté par le luthier Michel Gagnon, que l'on voit à gauche en compagnie de Nicole Giguère.

Pavillon des Arts de Ste-Adèle

Saison 1996-1997

Tél.: (514) 229-2586

Programme-concert au Pavillon des Arts avec photo de la salle.

Le père Marcel de La Sablonnière était l'un des amis intimes de Pierre Péladeau. Il assistait à plusieurs événements organisés par Quebecor. De gauche à droite : le père Sablon, Carole Gagné et Bernard Bujold.

André Bérard, président de la Banque nationale du Canada, reconnaissait le dévouement de Pierre Péladeau. Il lui a remis, en septembre 1995, deux plaques en bronze qui sont installées au Pavillon des Arts et au Centre Pierre-Péladeau. Le texte de l'inscription se lit comme suit : « En hommage à M. Pierre Péladeau pour sa contribution exceptionnelle au monde des arts et de la culture, septembre 1995. »

Photo prise à la demande de Pierre Péladeau afin de représenter sa dernière équipe de proches collaborateurs pour illustrer un reportage. On reconnaît, debout, de gauche à droite, André Gourd, Pierre Péladeau, Martine Bérubé et Bernard Bujold. Assises, de gauche à droite : Sylvie Cordeau, Micheline Bourget et Nicole Germain.

Plusieurs universités canadiennes ont reconnu les mérites de Pierre Péladeau. L'université Laval lui a remis un doctorat *honoris causa* en juin 1997.

Pierre Péladeau aimait côtoyer les artistes. Il participe ici à l'inauguration du cabaret du Casino de Montréal en compagnie du publicitaire Yvon Martin, l'un de ses grands amis.

L'attribution d'un don de un million de dollars lors des inondations du Saguenay a amené Pierre Péladeau et Lucien Bouchard à se rencontrer et à discuter amicalement, malgré l'éloignement survenu entre les deux hommes à la suite du Sommet économique de 1996.

Pierre Péladeau envisageait de compétitionner avec le journal *Les Affaires* et il avait lancé le mensuel *Parlons affaires* au début de 1996. Durant les premiers mois, il écrivait lui-même les titres, Bernard Bujold, les articles, et Diane Bougie s'occupait des ventes. Ce journal a fermé après la mort de M. Péladeau.

L'un des représentants publicitaires de *Parlons affaires*, Stéphane Maestro, a lancé à l'été 1998 *La Réussite* selon la formule de Pierre Péladeau. Bernard Bujold signe mensuellement la page 4 de ce journal.

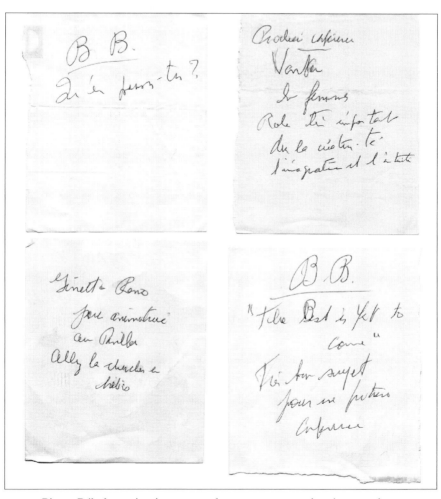

Pierre Péladeau aimait envoyer des notes manuscrites à ses cadres.
Ses directives étaient courtes, mais directes et précises.

Pierre Péladeau a écrit cette dédicace quelques semaines
avant son accident du 2 décembre 1997 : *Bernard Bujold. Un homme
dont les services m'ont été très précieux. Ouvert d'esprit et ne comptant jamais
ses heures. Un homme que toutes les femmes désirent en cachette et ont raison
de le faire. Un piètre imitateur. Pierre Péladeau*

COMMUNIQUÉ
QUEBECOR INC.

QUEBECOR INC.
612, RUE SAINT-JACQUES
MONTRÉAL (QC), H3C 4M8
CANADA
TÉL. : (514) 877-9777
TÉLÉCOPIEUR: (514) 877-9790

Pour diffusion immédiate

En l'absence de Monsieur Pierre Péladeau, président du conseil, président et chef de la direction de Quebecor inc., en raison de son état de santé, et conformément aux règlements de la compagnie, Monsieur Charles-Albert Poissant, à titre de vice-président du conseil, assume la fonction de président du conseil, et Monsieur Raymond Lemay, à titre de vice-président exécutif, assume la fonction de président et chef de la direction.

Quebecor inc. est une entreprise de communications oeuvrant à travers l'Amérique du Nord, l'Europe, l'Amérique du Sud et l'Asie. Elle exerce ses activités dans trois secteurs principaux. Par l'entremise de sa filiale Communications Quebecor inc., la compagnie exerce ses activités dans le domaine de l'édition, de la distribution, du multimédia et de la télédiffusion. Par l'entremise de sa filiale Imprimeries Quebecor inc., elle est le premier imprimeur commercial au Canada et en Europe et le deuxième en importance aux États-Unis. Par le biais de sa filiale Donohue Inc., deuxième plus important producteur de papier journal en Amérique du Nord, la compagnie est présente dans le domaine des produits forestiers. Elle emploie plus de 34 000 personnes.

Les actions catégorie A (droits de vote multiples) de Quebecor inc. sont inscrites aux bourses de Montréal et de Toronto sous le symbole QBR.A et à l'American Stock Exchange sous le symbole PQB. Les actions subalternes catégorie B (comportant droit de vote) sont inscrites aux bourses de Montréal et de Toronto sous le symbole QBR.B.

- 30 -

Source: Monsieur Raymond Lemay
            Vice-président exécutif
            Quebecor inc.
            tél. : (514) 877-9777

Communiqué de presse du 4 décembre 1997.

PAVILLON IVRY

20ᵉ souper bénéfice et encan
Pavillon Ivry-sur-le-Lac

*Sous la présidence d'honneur de
l'honorable Lise Thibault
Lieutenant-gouverneur du Québec*

Spectacle & Orchestre

Maître de cérémonie: Francis Reddy

*Vendredi, le 28 novembre 1997
à 18h00*

*Hôtel Four Points
(anciennement Hôtel Sheraton Laval)
2400, autoroute des Laurentides
à Laval*

*Tous les profits seront versés au
Pavillon Ivry-sur-le-Lac*

Merci!

Coût: 150 $ Nᵒ   1 1 2 6

Billet du dernier événement de levée de fonds organisé
par Pierre Péladeau le 28 novembre 1997.

Photo de l'intérieur du bureau de Pierre Péladeau,
au 612 de la rue Saint-Jacques Ouest, où il s'est effondré le 2 décembre 1997.

THEATRE MAISONNEUVE
ORCHESTRE METROPOLITAIN
DESTINS TRAGIQUES
Direction: JOSEPH RESCIGNO
* SCHUBERT / SCHUMANN *
1004254904
MARDI 2 DECEMBRE 97
20h00   0004254904
PARTERRE D20   MA 97/12/02 20h00
PARTERRE 35,62$ D20   INVITE   Place des Arts

THEATRE MAISONNEUVE
ORCHESTRE METROPOLITAIN
DESTINS TRAGIQUES
Direction: JOSEPH RESCIGNO
* SCHUBERT / SCHUMANN *
1004254903
MARDI 2 DECEMBRE 97
20h00   0004254903
PARTERRE D22   MA 97/12/02 20h00
PARTERRE 35,62$ D22   INVITE   Place des Arts

Billets de concert pour la soirée du 2 décembre, date de l'accident.

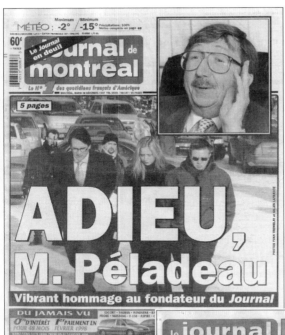

Pages couvertures du *Journal de Montréal* et du *Journal du Québec*,
le 30 décembre 1997.

Il faut dire que chaque fois qu'il subissait un revers dans ses acquisitions ou ses opérations financières, il avait pris l'habitude d'aller voir ailleurs, en dehors du Québec. Ce fut le cas pour l'inscription en Bourse de Quebecor. Personne sur la rue Saint-Jacques ne voulait lui accorder le prix qu'il demandait pour les actions. Il s'est tourné vers New York et il a obtenu ce qu'il voulait. Ce fut la même chose avec l'échec du *Toronto Sun*. Quebecor avait de l'argent à investir, on n'en voulait pas en Ontario, il est allé l'investir en France. Ces démarches avaient ouvert son esprit et poussé son intérêt vers les marchés internationaux.

Ce besoin d'être reconnu m'a encore été prouvé lors du Sommet économique du Québec de 1996. Pierre Péladeau était heureux d'y avoir été invité et d'y participer.

Le 19 mars 1996, le voyage avait bien commencé et il était très enjoué. La veille de son exposé, après les audiences de la première journée, nous nous sommes retirés dans nos chambres respectives. Il remarqua alors que le chariot de la femme de chambre était dans le couloir à proximité de sa porte.

En voyant le chariot, il me donna un coup de coude en pointant en sa direction.

« Viens, insista-t-il, on va aller prendre des savons. Ça va être bon pour ma collection. »

Il avait pris l'habitude de collectionner les savons de chaque hôtel où il logeait. À la fin, il devait en avoir des centaines. Ça l'amusait. Je garderai toujours cette image de lui avec les poches pleines de petits savons, surtout qu'il se préparait à présenter un exposé sérieux sur la relance de l'économie du Québec.

Il avait préparé son discours en mettant l'accent sur la contribution de Quebecor dans l'économie comme créateur d'emploi et sur la façon de générer des profits. C'était toujours les mêmes thèmes, mais il ne se lassait pas de les répéter. Cela était important pour lui. Tout le milieu des finances et de l'industrie était représenté autour d'une immense table. Le patronat, les syndicats, les étudiants, les organismes privés et publics y avaient tous leurs délégués. Les entreprises privées étaient représentées par leur président respectif.

Sous la responsabilité du Premier ministre Lucien Bouchard, le sommet était présidé par Claude Béland, ancien président du

Mouvement Desjardins. Il agissait à titre d'animateur et devait coordonner les interventions de chacun des participants, au-delà d'une centaine.

Cinq minutes seulement étaient allouées à chacune des présentations, pas une seconde de plus.

Lorsque Pierre Péladeau prit la parole, il ne réalisa pas à quel point les minutes filaient rapidement. Lorsque M. Béland lui donna le compte à rebours des 60 dernières secondes, M. Péladeau s'exclama :

« Mais je n'ai pas fini de parler. »

Non seulement il dut se conformer à l'horaire, mais il fut outré d'avoir le même délai pour son exposé qu'un étudiant qui n'avait même pas son diplôme en main, lui qui possédait un empire de plus de deux milliards. Il le savait pourtant avant de commencer, mais il ne l'a vraiment compris qu'à la dernière minute. Il en ressortit frustré, surtout qu'il considérait que l'étudiant n'avait raconté que des niaiseries. Après cet exercice, il devenait évident pour tout le monde que Pierre Péladeau n'aurait jamais réussi dans la politique active. Il étouffait s'il devait travailler sous la contrainte.

Mais il n'était pas au bout de sa frustration. M. Péladeau voulait que l'on accorde à Quebecor la reconnaissance que l'entreprise méritait. Lorsqu'elle n'était pas considérée, comme ce fut le cas au Sommet économique, il se sentait rejeté, et, par le fait même, l'ensemble de Quebecor.

À la toute fin du Sommet de Québec, à la suite des discussions, on conclut qu'il était impossible de parvenir à une solution globale pour l'économie. Il fut décidé de fragmenter les efforts et de créer des comités sectoriels. Les présidents de chacun de ces comités avaient été choisis et nommés par le Premier ministre ; ils n'étaient pas élus par les participants. Ces comités étaient censés poursuivre le travail à la suite du colloque. La procédure de nomination n'était pas claire. Par contre, ce qui était clair pour Pierre Péladeau, c'est que les directeurs de comités avaient été convoqués à huis clos pour obtenir leur accord à leur nomination, mais pas lui.

On l'aurait giflé en plein visage qu'il aurait eu la même réaction. Il ne parlait pas, mais c'était évident qu'il était fâché. Durant la pause, immédiatement après l'annonce divulguant le nom des chefs de comités, Pierre Péladeau s'est levé et il m'a dit :

« On s'en va.

– Mais monsieur Péladeau, la cérémonie de fermeture est dans une heure, lui dis-je en me rendant compte que quelque chose ne lui plaisait pas.

– On s'en va pareil », ajouta-t-il simplement, sans plus.

Je l'avais déjà vu, à de nombreuses reprises tout au long de mon mandat, se lever et quitter une réunion. Je savais qu'il essayait de contenir sa colère, mais dans le cas du Sommet il ressentait aussi du chagrin.

Il n'en a jamais parlé, et je n'ai jamais osé lui poser de questions sur le sujet. Par la suite, si je mentionnais Lucien Bouchard pour un événement ou une occasion quelconque, la réponse était brève, mais très éloquente :

« Laisse faire, ponctuait-il. Y a-t-il autre chose ? »

Il fallut attendre les inondations du Saguenay en juillet 1996 pour que les deux hommes reprennent contact.

* * *

Pierre Péladeau ne prenait pas souvent de vacances et n'avait pas beaucoup de loisirs. Ses moments de détente, il se les accordait à Sainte-Adèle au bord de la piscine ou encore en se promenant dans son jardin et dans la forêt avoisinante.

Il aimait aussi aller à la pêche, non pas pour pêcher, mais pour relaxer, lire un peu et profiter de la nature. Je l'ai accompagné à quelques voyages de pêche au camp de l'usine Donohue situé près du lac Boileau dans la région du Saguenay-Lac-Saint-Jean. Fidèle à ses habitudes, il invitait toujours des amis intimes avec lesquels il avait envie de passer un peu de temps.

C'était tout de même comique, parce qu'il n'allait jamais pêcher. Je ne l'ai jamais vu tenir une canne à pêche, ni même accompagner les autres dans l'embarcation. Il disait qu'il allait à la pêche, mais il restait sur le quai et se contentait de regarder les autres avoir du plaisir à pratiquer ce sport. Il prenait aussi beaucoup de plaisir durant les repas organisés par la cuisinière du club de pêche à discuter avec ses invités, à profiter du poisson pêché par les autres. Ces repas étaient sans doute aussi captivants que l'activité de pêche comme telle, car les discussions étaient intimes et se déroulaient dans une ambiance conviviale. M. Péladeau aimait inviter et recevoir ses amis les plus proches à ce camp, et il essayait parfois d'en profiter pour régler des dossiers d'affaires, comme ce fut le cas avec Yves Moquin.

En 1989, lors de la fusion des éditions Le Nordet, propriété de Quebecor, avec les éditions Transmo inc., propriété d'Yves Moquin, un différend survint dans le règlement de la transaction.

Pierre Péladeau aimait beaucoup Yves Moquin, qu'il avait connu à ses tout débuts. M. Moquin fut l'un des premiers avocats, en 1972, au service juridique du siège social de Quebecor. Ce service avait été créé à l'occasion de la première émission d'actions publiques de Quebecor. Yves Moquin a travaillé chez Quebecor jusqu'en 1979, année durant laquelle il décida de fonder sa propre maison, les éditions Transmo inc. En mai 1989, il fusionna sa firme avec Quebecor et les éditions Le Nordet, créant ainsi Publicor. M. Moquin devait rester en poste jusqu'en 1992, date convenue pour le paiement final de la transaction. La valeur du marché des magazines avait cependant baissé entre 1989 et 1992 et M. Péladeau voulait payer à rabais la transaction, ce que M. Moquin contestait. Les deux hommes se respectaient et s'aimaient bien, ce qui n'empêchait pas le désaccord sur le règlement financier de l'affaire.

La veille d'un départ pour un voyage de pêche, prévu pour le 1er septembre 1995, Pierre Péladeau croisa par hasard Yves Moquin dans un restaurant et lui dit :

« Yves, il faut que l'on règle ça. »

Ils discutèrent un moment et je ne saurais dire si « Monsieur P. » avait en tête de régler le conflit à son chalet, toujours est-il qu'il invita M. Moquin à se joindre au groupe.

À sa grande surprise, M. Moquin accepta. Arrivés au chalet, M. Péladeau était tout content d'avoir rassemblé tout son monde. Cependant, lorsque vint le moment d'attribuer les chambres, il se rendit compte qu'il y avait trop de personnes pour le nombre de chambres disponibles. Et c'est ainsi que je fus contraint de dormir dans la cabane du guide de pêche...

Ce voyage n'avait cependant pas été suffisant pour amadouer M. Moquin au sujet du règlement de leur entente.

Finalement, à la fin de 1996, Quebecor paya la totalité de la somme selon l'entente initiale avec Yves Moquin, incluant les intérêts et les frais juridiques. Il s'agissait d'une transaction de plus de 20 millions de dollars.

Yves Moquin fut l'un des seuls qui obtint gain de cause dans son différend avec Pierre Péladeau en lui tenant tête et qui demeura son ami jusqu'à la fin.

Au moment du règlement, M. Péladeau aurait même dit :
« Bah ! je suis bien content pour lui. »

* * *

Pierre Péladeau eut des relations et des échanges avec des gens de tous les horizons de la société. Parfois, il se battait sans merci et il se défendait férocement pour gagner à tout prix laissant souvent un goût amer aux perdants. Il disait cependant que s'il faut toujours gagner, il faut aussi en laisser un peu sur la table ; ne jamais partir avec tout le butin.

Parfois, il se battait aussi pour le simple plaisir de jouer et de pousser l'autre jusqu'à ses dernières limites, comme le ferait deux amis boxeurs s'entraînant ensemble. Le combat contre Yves Moquin fut une sorte d'entraînement que Pierre Péladeau tint avec son ancien employé et ami. Il savait qu'il était le plus fort avec son empire Quebecor, mais il s'est battu honnêtement et le meilleur a gagné la bataille du jour.

Cependant, Pierre Péladeau voulait gagner la guerre, et il poursuivit ailleurs et avec d'autres adversaires ses combats quotidiens.

Chapitre 11

Histoires de dons

C'était connu, Pierre Péladeau gérait ses entreprises de façon parcimonieuse. Il avait la réputation d'être près de ses sous. Il ne se cachait pas non plus pour dire que lorsqu'il faisait son épicerie, il tenait à avoir en main des bons-rabais découpés soigneusement. Pourtant, lorsqu'il s'agissait de faire un don ou de venir en aide à un ami ou même à une personne recommandée par un ami, il pouvait faire émettre un chèque dès le moment où sa décision était prise, et parfois dans la minute même.

J'avais cru, avant d'entrer à son service en 1991, que les dons distribués par Quebecor à différentes œuvres et organisations à but non lucratif étaient administrés par un comité ; que plusieurs personnes de l'entreprise se chargeaient d'analyser les demandes et que ce comité, par la suite et avec l'accord du président, procédait à la remise des dons.

Ce n'était absolument pas le cas. Avant que je commence à travailler avec lui, M. Péladeau faisait beaucoup de dons, en majorité très discrets. Peu de gens étaient au courant. Les montants pouvaient varier du coût d'une simple facture d'épicerie à des dizaines de milliers de dollars. Il agissait souvent spontanément et secrètement. Mais après bon nombre d'années, les demandes ont commencé à se multiplier, émanant de toutes sortes de groupes ou de personnes. Je dirais qu'à la fin, je pouvais recevoir jusqu'à dix demandes par jour, et je ne tiens compte que de celles qui parvenaient à mon bureau. Dès que l'on donnait de l'argent à un groupe, c'était assuré, d'autres venaient nous voir pour obtenir sinon le même montant au moins une contribution. Il fallait exercer une forme de surveillance.

En ce qui concerne Quebecor, les dons étaient gérés par une personne. M. Péladeau pouvait bien prétendre qu'il y avait un comité qui décidait, il ne s'agissait que d'une seule personne : lui-même.

Il avait été sensibilisé à la philanthropie et au partage par son ami le père Marcel de La Sablonnière. Le Centre Immaculée-Conception était situé, à l'époque, juste en face de son bureau sur la rue Papineau.

Le Centre a été fondé en septembre 1951, et il porte aujourd'hui le nom de Centre Marcel-De-La-Sablonnière. M. Péladeau a beaucoup contribué aux œuvres du père Sablon. J'ai eu l'occasion de côtoyer cet homme d'une grande générosité. Il est décédé le 20 décembre 1999.

Un autre fait qui marqua à vie Pierre Péladeau concernant le partage avec les moins nantis fut la mort de son père. Même s'il n'avait que de vagues souvenirs de lui, comme il l'a raconté à plusieurs reprises en public, il se souvenait de la journée des funérailles d'Henri Péladeau. Avant la naissance de Pierre, au moment où les affaires roulaient sur l'or pour la famille, son père avait aidé beaucoup de gens autour de lui et dans tout le quartier. Des amis et des familles dans le besoin avaient bénéficié de sa générosité lorsqu'ils s'étaient trouvés en difficulté financière. Henri avait le cœur sur la main. À sa mort, il était ruiné. Il n'y avait même pas dix personnes à son enterrement. Personne ne se souvenait qu'il n'avait jamais hésité à distribuer le contenu de ses coffres quand ils étaient bien remplis.

Pierre Péladeau n'a jamais oublié cette journée marquée par l'ingratitude des gens.

Dès le début de sa participation à « ses œuvres », comme il les appelait, il avait déterminé le créneau précis qu'il préférait. Chaque entreprise choisissait ses secteurs d'activités caritatives. Chez Vidéotron, par exemple, on s'engageait beaucoup dans les compétitions sportives avec des commandites de prestige. Pour M. Péladeau, même si le sport était l'un des éléments les plus vendeurs du *Journal de Montréal*, il ne s'y intéressait pas lorsque venait le temps de faire ses choix. « Ses œuvres », c'étaient les artistes, la musique et les personnes aux prises avec des problèmes d'alcool.

Pour toute organisation philantropique, veiller à ce que les bénéficiaires fassent bon usage des sommes reçues était la partie la plus difficile à gérer. À ce chapitre, Pierre Péladeau excellait.

Érik Péladeau voulait une structure officielle pour la gestion des contributions, mais son père ne pensait pas que c'était une bonne idée. D'ailleurs, nous avions déjà essayé la méthode du comité lorsque j'avais travaillé la première fois sur le rapport annuel de 1991 de Quebecor. Nous avions regroupé plusieurs personnes à différents paliers, dont ceux de la comptabilité, du secrétariat juridique et de la firme de design graphique Vasco design. À la fin, nous lui avons présenté le produit du consensus du comité. Il n'a pas aimé le résultat. Il m'a donné une photographie de la façade de l'édifice de la rue Saint-Jacques et il m'a dit que c'était ce qu'il voulait voir en page couverture. C'était une belle photographie de l'édifice, mais elle avait été prise par un amateur. Il a fallu la faire corriger en imagerie. Même après un mois de travail, il trouvait que cette photographie était plus représentative de ce qu'était Quebecor que toutes les autres que nous lui avions proposées. Il aimait les gens simples et les choses simples. J'ai compris que la simplicité devait également dominer quand il s'engageait dans la communauté.

Donc, je recevais les demandes. Je les cumulais et les lui acheminais une fois par mois avec mes recommandations pour qu'il les étudie. Je devais faire une première élimination. La plupart du temps, je savais que certaines demandes, particulièrement en théâtre et en sport, ne l'intéresseraient pas, alors je les mettais de côté et j'écrivais une lettre de refus. Il favorisait les jeunes artistes et le secteur de la santé. Il avait à cœur plusieurs causes comme la Maisonnée de Laval, Ivry-sur-le-Lac, l'Auberge du Nouveau Chemin, la fondation de l'hôpital Hôtel-Dieu, l'Orchestre métropolitain, le Pavillon des Arts de Sainte-Adèle, pour ne nommer que ceux-là. Il mettait tout en œuvre pour que ces organismes aient du succès. Lorsqu'il croyait en une cause, il était infatigable et pouvait y consacrer un nombre incalculable d'heures, parfois plus que pour *Le Journal de Montréal* et ses imprimeries.

Pour le Pavillon des Arts, par exemple, il ne comptait pas son temps ; il décidait de la maquette du programme, des artistes et des photographies. S'il le fallait, il mobilisait même ses secrétaires Micheline Bourget et Nicole Germain pour l'assister, en plus de ma secrétaire Martine Bérubé qui s'en occupait à temps presque complet.

Il donnait en moyenne deux millions de dollars par année, y compris la publicité gratuite et les services. Une année, le montant de l'apport publicitaire dans les journaux s'est élevé à 225 000 $ uniquement pour le Pavillon des Arts.

Il était tellement efficace quand il se consacrait à une œuvre, qu'il avait même réussi à générer des profits pour le Pavillon des Arts pourtant démarré comme activité à but non lucratif. À un certain moment, il s'est dit : « Je donne de l'argent, je ne vois pas pourquoi mes fournisseurs que je paye bien et qui font des profits avec mes entreprises n'en mettraient pas dans mes œuvres. » Alors il a sollicité Hydro-Québec, les banques, les bureaux d'avocats et de comptables, ainsi que la plupart des fournisseurs de Quebecor [1]. À la fin, le Pavillon recevait dans ses coffres plus d'argent qu'il n'en dépensait.

En l'espace de quelques années, nous avons recueilli au total plus 120 000 $ en commandites pour le Pavillon.

Il pouvait venir me consulter deux fois par jour pour des questions concernant le Pavillon. Il avait aussi recours aux conseils de Marie Rémillard, alors directrice de l'Orchestre métropolitain, dont il finançait aussi les activités. Il voulait qu'elle lui propose de jeunes artistes en pleine ascension. Il ne les choisissait jamais au hasard. Il fallait qu'il aime leur travail.

De nombreux artistes québécois doivent beaucoup à Pierre Péladeau pour l'aide qu'il leur a accordée d'une façon ou d'une

---

1. Quelques noms parmi les principaux donateurs de 1995 à 1997 : Hydro-Québec, la Banque nationale du Canada, Raymond Chabot, Martin Paré, Gravenor Beck, Bell Helicopter Textron, Martineau Walker, Trustar, Léger & Léger, Imasco, Lise Watier, Lévesque Beaubien Geoffrion, Dale Parizeau-Sodorcan, la Banque Laurentienne, Bombardier, Merrill Lynch Canada, Gaz Métropolitain, Bell Canada, Alcan, Provigo, Réno-Dépôt, KPMG Poissant Thibault-Peat Marwick Thorne, Loto-Québec, le Groupe Aviation Innotech-Execaire, Métro-Richelieu, la Banque Royale du Canada, Air Canada, Alimentation Couche-Tard, Ogilvy Renault, Société canadienne des Postes, Purolator, les Arts du Maurier, Téléglobe, Clermont Chevrolet.

autre durant leur carrière. Péladeau entretenait d'une manière continue d'étroites relations avec tout le milieu artistique qu'il aimait.

Pour ajouter encore un peu plus de crédibilité aux soirées du
Pavillon des Arts de Sainte-Adèle, je lui avais proposé d'inviter une
personnalité du milieu artistique pour agir à titre de maître de cérémonie. Il fut énormément séduit par ce concept qui lui permettait
de solliciter un acteur, un journaliste ou un chanteur populaire pour
présenter le concert au Pavillon. Évidemment, on publiait une photographie de la personnalité dans *Le Journal de Montréal* et dans
Échos Vedettes. Comme il fallait s'y attendre, une fois que l'idée
était lancée, la marchandise devait être livrée sans délai.

Il a dressé une liste de ceux qu'il voulait accueillir comme animateur et je me suis mis au travail pour les contacter officiellement[2]. À partir de ce moment, en septembre 1992, une pléiade de
vedettes ont visité le Pavillon pour y animer les soirées hebdomadaires. De Julie Snyder à Mitsou, en passant par Albert Millaire,
Jean-Luc Mongrain ou Simon Durivage. Tous ceux que nous avons
invités ont accepté avec empressement.

* * *

À mes débuts en 1991, M. Péladeau avait été pressenti pour
financer une salle de spectacle pour l'université du Québec à Montréal. Cet événement coïncidait avec l'époque de la crise entraînée
par la publication d'un article dans le magazine *L'Actualité*, lequel
allait déclencher une campagne de boycottage à son égard.

Il y eut un vif mouvement de contestation de la part des professeurs de l'UQÀM qui ne voulaient pas que le Centre soit nommé
d'après le signataire du chèque. Ils voulaient bien de l'argent, mais
ils ne voulaient rien entendre d'un Centre Pierre-Péladeau.

À l'origine, c'était une idée qui avait germé dans la tête de
Pierre Jasmin, pianiste et ami de Pierre Péladeau. M. Jasmin avait
déjà bénéficié de l'appui financier de M. Péladeau et il avait amorcé
les premières démarches pour la création du Centre. Il avait fait part
de ses intentions à Pierre Péladeau en lui expliquant comment le

---

2.   Voir la liste du Pavillon des Arts, en annexe 2.

projet pourrait profiter à Quebecor. Les agences culturelles des différents gouvernements avanceraient les premières mises de fonds, mais pour concrétiser le projet, il fallait aussi de l'investissement privé. M. Péladeau était flatté non seulement qu'on lui demande d'intervenir, mais également parce qu'il avait toujours rêvé d'avoir un centre portant son nom, comme c'était le cas des Bronfman et des Desmarais. C'était un statut qu'il leur enviait et avec ce projet de l'UQÀM, il avait la chance réaliser un vieux rêve.

Mais les discussions n'avançaient pas tellement bien, car certains professeurs prétendaient qu'un centre de haut savoir devait également porter un nom prestigieux. Pour certains, Pierre Péladeau ne représentait pas la culture universitaire et il était un peu trop coloré. Pourtant, ce dernier était loin d'être un autodidacte. Il possédait une licence en philosophie de l'université de Montréal et une autre en droit de l'université McGill. Il avait reçu un doctorat *honoris causa* de l'université du Québec en 1985, il en reçut un second de l'université de Sherbrooke en 1996 et un autre de l'université Laval en 1997. Il avait été premier chancelier de l'université Sainte-Anne de Nouvelle-Écosse en 1988, nommé Membre de l'Ordre du Canada en 1987 et reçu officier de l'Ordre national du Québec en 1989. On lui décerna le titre d'officier de la Légion d'honneur en 1997.

On a finalement pu s'entendre pour que le Centre porte le nom de Pierre Péladeau, mais que la salle de concert soit baptisée en l'honneur d'un musicien contemporain, Pierre Mercure. Il faut souligner le travail de la vice-rectrice Florence Junca-Adenot dans le dénouement de cette crise.

Toutefois, ce n'est pas parce qu'il avait obtenu son nom pour le Centre que Pierre Péladeau allait fermer les yeux sur la gestion. Il surveillait entre autres de très près la promotion que la direction du Centre faisait dans les journaux au sujet des spectacles présentés. On annonçait parfois que les spectacles se déroulaient à la salle Pierre-Mercure, mais on oubliait de mentionner le nom du Centre Pierre-Péladeau. Cette omission le mettait en colère et il me demandait toujours de téléphoner au directeur général pour lui dire de faire corriger la chose. Un jour, il a même menacé de faire un arrêt de paiement sur le chèque de sa contribution. Je lui ai répondu qu'on ne pouvait pas faire une chose pareille. Il s'est arrêté net et il a demandé :

« Comment ça, on ne peut pas faire ça ?

– Mais M. Péladeau, parce que le chèque est encaissé depuis un an déjà. »

Il aurait voulu qu'il en soit autrement, mais, dans ce cas-là, c'était trop tard. Alors il envisagea sérieusement de ne plus commanditer aucun événement présenté par le Centre. Il n'aimait pas non plus Éric Larivière, alors directeur en place. Et s'il n'aimait pas quelqu'un, il n'aimait pas son travail même si la personne était efficace dans ses fonctions. Avec lui, c'était blanc ou noir. Il n'y avait pas de zone grise. Il trouvait que la programmation du Centre Pierre-Péladeau était trop snob et ne touchait pas assez les gens ordinaires.

C'était paradoxal de sa part, car il admirait des musiciens de la trempe d'Alain Lefevre et d'Alexandre Da Costa. Il adorait aussi Pierre Jasmin. Il trouvait qu'il interprétait Beethoven d'une façon magistrale. À tel point qu'il avait même offert au pianiste de lui acheter une maison voisine de la sienne à Sainte-Adèle pour qu'il puisse venir jouer lorsque M. Péladeau recevait. Et il recevait beaucoup. Pierre Jasmin a poliment refusé.

Pierre Péladeau aidait aussi des écrivains. S'il trouvait que tel ou tel autre avait du talent et qu'il aimait ses écrits, il faisait en sorte que l'auteur soit publié. Mais il s'attendait aussi à ce que l'auteur continue de produire et de progresser.

Son soutien financier laissait aussi une place importante aux peintres. Le Pavillon des Arts était un centre de vernissage et d'exposition. Pierre Péladeau tenait en haute estime les artistes, par exemple Armand Vaillancourt qu'il considérait comme un homme qui se tenait debout et qui défendait ses idées. De plus, les deux hommes détestaient allègrement Pierre Trudeau, point commun qui les rapprochaient. Une sculpture de Vaillancourt est installée devant *Le Journal de Montréal*, rue Frontenac.

À partir du moment où Quebecor aidait un pianiste, un peintre ou un écrivain, de nombreux autres se pointaient pour être subventionnés. Dans leur esprit, si l'entreprise aidait un pianiste, il fallait aider tous les autres. Ce n'était pas facile de gérer toutes les demandes. J'ai lu et entendu toutes sortes d'arguments. Pour plusieurs, Quebecor avait l'obligation de donner. Or, contrairement aux agences publiques qui sont créées à cette fin, l'entreprise privée n'a pas vraiment l'obligation de subventionner des projets culturels ou communautaires.

C'est un choix de direction et Péladeau choisissait ses causes, tout en exigeant que les bénéficiaires encouragés se montrent à la hauteur.

Pierre Péladeau était un organisateur-né, un rassembleur hors pair. Dès son jeune âge, il en avait fait la preuve à maintes reprises lorsqu'il s'agissait de regrouper des gens, de présenter des débats ou même de participer à une campagne électorale. Il a très souvent raconté les motifs de son expulsion du collège Brébeuf : il avait promis de distribuer des dépliants pour appuyer Jean Drapeau, candidat à la mairie. La direction du collège l'avait averti de cesser cette activité politique qui allait par ailleurs à l'encontre du parti pris qu'avait le clergé contre le futur maire, et qui lui préférait le général Laflèche, son opposant, favorable à la conscription. Mais Pierre Péladeau avait fait la promesse de distribuer ces tracts et, pour lui, il était impensable de rebrousser chemin. Comme il se doit, il fut renvoyé. Entre-temps, il avait tout de même eu le temps de dresser des listes de noms et de distribution parmi les étudiants. Il se donnait à fond dans tout ce qu'il entreprenait et faisait en sorte que son entourage en fasse autant.

Même quarante ans plus tard, il était inépuisable dans la gestion de ses affaires et encore plus dans ses œuvres. Financer l'Orchestre métropolitain ne se limitait pas à la signature d'un chèque. Il fallait aussi que la salle soit pleine. Pour y parvenir, il fallait que tout le monde mette la main à la pâte et à tous les paliers de l'organisation. Il se préoccupait de la programmation qu'il voulait accessible à tous. C'était sa façon de contribuer à la culture.

À presque tous les concerts de l'Orchestre métropolitain, il se trouvait des gens dans l'audience qui applaudissaient – et qui applaudissent toujours aujourd'hui – entre les mouvements. Il est d'usage que l'on garde le silence jusqu'à la fin de l'œuvre. C'est une évidence pour les vrais connaisseurs de musique classique. Si ces applaudissements indisposent souvent les chefs d'orchestre ou les autres dans la salle, Pierre Péladeau, au contraire, était rassuré en les entendant. Il se disait qu'il avait réussi à amener des gens ce soir-là qui découvraient cette musique pour la première fois et qu'ils reviendraient. C'était aussi une grande preuve de démocratie et de rapprochement avec la population.

Il ne faut jamais oublier que même s'il avait grandi dans une certaine pauvreté, il avait été éduqué dans un milieu bourgeois et cultivé. Mais il a toujours préféré fréquenter les gens simples et sans prétention.

Il pouvait brasser des millions, mais il restait un être très frugal. Son plus grand plaisir était de manger un sandwich aux œufs accompagné de sa boisson gazeuse préférée.

Il avait une grande sympathie pour les miséreux et ne détournait pas le regard devant eux. Je me souviens de l'avoir accompagné un jour où il cherchait une école pour son fils Simon-Pierre. Il avait entendu parler d'un établissement qui avait pignon sur rue dans Saint-Henri, un quartier défavorisé de Montréal. Je m'y suis rendu avec lui dans ma voiture. Nous avons vu une famille démunie assise sur le balcon de son appartement. Je lui ai demandé s'il était possible pour ces gens de sortir de leur misère. Il m'a dit en les regardant d'un air triste :

« Ce n'est pas facile pour eux de s'en sortir. Presque impossible. »

Une autre anecdote montre bien comment il pouvait résoudre un problème avec des solutions très terre-à-terre. Le directeur du collège où étudiait Simon-Pierre avait informé M. Péladeau que son fils, alors âgé de 16 ans, n'obtenait que de piètres résultats scolaires et qu'au point où il en était, il risquait d'échouer ses examens.

Pierre Péladeau avait bien essayé de raisonner son fils pour le motiver à se concentrer et à se donner à fond dans ses études. Il lui soulignait les avantages qu'il y avait à étudier dans l'un des meilleurs collèges privés, ce qui n'était pas donné à tous. Aucun argument ne déclenchait la réaction salutaire qui aurait pu propulser Simon-Pierre parmi les premiers de classe.

Pierre Péladeau détestait se buter à un mur quand il voulait des résultats. Il est arrivé un bon matin avec l'intention d'aller confisquer la voiture de l'adolescent, laquelle était bien sûr immatriculée au nom de Pierre Péladeau. Je considérais le plan audacieux et la mesure draconienne, mais le principal intéressé ne trouvait pas de meilleure solution.

J'ai été délégué comme second avec Yves Paradis, pilote d'hélicoptère et chauffeur de M. Péladeau, pour aller « kidnapper » la voiture de l'indiscipliné. C'était digne d'un épisode de James Bond. Il a fallu se cacher dans le stationnement du collège et s'assurer que Simon-Pierre était bien en classe. Le dernière chose au monde que je voulais à ce moment-là était d'arriver nez à nez avec fiston, en train de « voler » sa voiture. Une fois de retour au bureau, nous avons laissé la voiture dans le stationnement de l'édifice et remis les clés à papa qui, entre-temps, avait pris bien soin de prévenir le directeur. Il y avait de fortes chances que Simon-Pierre aille le voir, en état de panique, pour l'avertir du vol de sa voiture.

Le directeur ne trouvait pas souvent ce genre d'écho de la part de parents à qui il devait rendre des comptes. Il a félicité M. Péladeau d'avoir trouvé le temps de prendre cette initiative inusitée. Je n'ai plus entendu parler des résultats scolaires de Simon-Pierre par la suite.

Ce fait, anodin pour certains, n'est qu'un des innombrables gestes que Pierre Péladeau pouvait poser quand il voulait des résultats.

Autant il pouvait faire de généreux dons, autant il était aux aguets dans la gestion des dépenses. Il surveillait tout. On ne pouvait pas lui « en passer une » et il était fortement déconseillé de le tester, car il s'en apercevait toujours. Si on trompait sa confiance une fois, il ne pardonnait jamais. Je devais faire attention.

Un jour, j'ai fait imprimer une centaine d'exemplaires de sa photographie officielle pour la distribuer aux médias et réalimenter notre provision. Je lui ai présenté la facture du photographe. Il est venu dans mon bureau vérifier le paquet de photographies et s'assurer que le compte y était.

Pour les dons, il faisait toujours un suivi afin de s'assurer qu'ils étaient utilisés à bon escient et pour la bonne cause. Il fouillait partout pour en être certain. Il ne faisait pas un don pour l'oublier ensuite. S'il découvrait qu'on l'avait floué ou qu'on lui avait menti, il envoyait son infanterie. Il pouvait faire un arrêt de paiement sur un chèque encore en circulation, et le nom du ou des coupables s'ajoutait à sa liste noire. C'était définitif et sans appel.

Il appréciait aussi que ceux qui recevaient l'en remercient. Si on se contentait d'encaisser le chèque et que l'on disparaissait comme si rien n'était arrivé, et cela se produisait parfois, il n'appréciait pas du tout. C'était une marque d'ingratitude et il était inutile de se présenter l'année suivante pour renouveler la demande.

L'ingratitude des gens est parfois triste à constater. Souvent, des personnes dont la demande était acceptée regardaient le montant reçu et revenaient en disant : « Il pourrait m'en donner plus. »

Pierre Péladeau avait une autre manie qui fait maintenant partie des pratiques généralisées de recyclage : il utilisait le verso des lettres qu'il recevait, mais dont le contenu ne l'intéressait pas. Lorsqu'il en avait une bonne quantité, il la remettait à sa secrétaire qui s'occupait de les faire couper en quatre. Il utilisait ces feuillets afin d'écrire des notes destinées à son personnel.

Un jour, je reçus un appel d'un homme plutôt anxieux qui m'expliqua qu'il attendait une réponse de Pierre Péladeau depuis longtemps à propos de son projet. Je l'écoutai attentivement me décrire toutes les démarches qu'il avait entreprises pour sa demande de don. Si je me souviens bien, il s'agissait d'une compétition de cyclisme. Pendant qu'il me parlait, je lisais machinalement un des « petits papiers » que « Monsieur P. » m'avait adressé. Au verso, il y avait les coordonnées de mon interlocuteur. Je me sentis mal. Si la lettre avait abouti sur la planche à découper, il était certain que sa demande n'avait pas été retenue. Il fallait que je trouve les mots pour lui expliquer que « notre comité » n'avait malheureusement pas acquiescé à sa demande.

Pierre Péladeau demandait régulièrement à rencontrer les gens qui lui adressaient une demande de don. Lorsqu'il n'était pas certain du jugement qu'il portait sur une personne, il me demandait de la rencontrer pour vérifier s'il faisait fausse route ou non. En principe, il avait un bon jugement, mais il m'est arrivé de le faire changer d'opinion. Il remerciait toujours la personne d'avoir pris le temps de venir le rencontrer et s'il la raccompagnait jusqu'à mon bureau en me disant de m'occuper d'elle, généralement, ça voulait dire « débarrasse-m'en ».

Si le projet lui plaisait, il m'adressait un « petit papier » ou venait en personne me dire : « Appelle la comptabilité et demande leur de faire un chèque » pour tel ou tel montant. Le chèque était émis le jour même.

Il lui est aussi arrivé de donner de l'argent à un artiste qui ne l'avait pas sollicité. M. Péladeau avait assisté à son concert et il l'avait aimé. Sachant qu'il n'était pas très en moyen, il lui avait envoyé un cadeau pour l'encourager à continuer.

On ne l'approchait pas uniquement pour lui demander de l'argent. Il était extrêmement convoité comme conférencier pour des chambres de commerce, des entreprises, des congrès. À ce chapitre, ceux qui n'étaient pas encore sur notre liste de dons à faire étaient dans celle des conférences à donner.

À mes débuts chez Quebecor, Pierre Péladeau donnait les conférences gratuitement parce qu'il disait ne pas avoir besoin de cet argent-là. Pour lui, c'était une contribution à une cause : s'il ne donnait pas d'argent, il donnait de son temps. Mais il se préoccupait de voir parfois des places vides dans les salles où il prenait la parole. On revenait toujours au même principe : aller chercher le maximum. Il en était venu à la conclusion que s'il demandait un cachet pour donner sa conférence, les organisateurs travailleraient plus fort pour remplir la salle. Mais il n'était pas à l'aise pour demander un cachet à des associations qui organisaient des événements pour amasser des fonds.

Je lui ai alors suggéré de prendre le cachet et de le verser à une œuvre de son choix. De cette façon, il rendrait service à un plus grand nombre de personnes. C'est ce qu'il a fait par la suite. Il a donné plus d'une centaine de conférences pendant mon séjour chez Quebecor. Vers la fin, il demandait entre 5 000 $ et 10 000 $ et il remettait la somme à l'une de ses œuvres personnelles.

Il a aussi donné son cachet lorsqu'on lui a demandé de faire une annonce publicitaire pour Loto-Québec en juillet 1996. Il avait d'abord demandé 5 000 $. Du côté de Loto-Québec, la jeune femme qui régissait la production a poussé quelques soupirs en disant que le budget était plutôt le tarif de base de l'Union des artistes, soit environ 800 $. Pierre Péladeau avait prévu un montant plus élevé. Il voulait 5 000 $ minimum.

La publicitaire lui a répondu qu'elle devait d'abord vérifier avec son patron et qu'elle lui « reviendrait » à ce sujet.

Il a ajouté : « C'est ça, reviens-moi vite ! »

Une semaine plus tard, la jeune femme rappela :

« Bonjour M. Péladeau. Pour votre cachet, c'est accepté pour 5 000 $.

– J'ai pensé à tout ça et maintenant ce n'est plus 5 000 $, c'est 10 000 $ que je veux.

– OK ! C'est d'accord ! » répondit-elle sans le contredire.

Dès lors, elle savait à qui elle avait affaire. Et les 10 000 $ ont été versés à une œuvre à but non lucratif.

Pierre Péladeau participait aussi à des projets de plus grande envergure. Au cours des deux dernières années de sa vie, il s'était intéressé à deux projets bien précis, dont la Chaire de l'entrepreneurship, qu'il n'eut jamais la chance de terminer. C'était pourtant son intention. Il m'avait dit en novembre 1997, quelques jours avant sa crise fatidique : « On règle ça avant Noël ». Quand il prenait ce ton, je savais que la chose allait être réglée aussitôt.

Mais, auparavant, il y a eu l'épisode des inondations au Saguenay le 20 juillet 1996 et l'histoire du don de un million de dollars.

Il était ami avec Yvon Martin, publicitaire et fondateur de Publicité Martin, qu'il fréquentait régulièrement et avec qui il voyageait souvent en hélicoptère de Sainte-Adèle à Montréal. Je me souviens d'une anecdote mémorable qui s'est produite en compagnie d'Yvon Martin lors de l'ouverture du cabaret du Casino de Montréal. Pierre Péladeau y assistait. Après la soirée, il décida d'aller tenter sa chance au jeu. M. Péladeau avait en poche 1 200 $; c'était le budget qu'il s'était fixé pour la soirée. Il les a perdus en cinq minutes à la roulette. Puis il nous a regardé et a déclaré d'un ton sans équivoque :

« Moi, je m'en retourne dans le Nord. »

Il s'est levé et il est parti nous laissant en plan, Yvon Martin, Carole Gagné de la Banque nationale, et moi. Il nous avait emmenés en hélicoptère, mais il nous a fallu rentrer par nos propres moyens.

Le déluge avait provoqué cette incroyable catastrophe que l'on sait à Chicoutimi. Il était touché par ce drame. Il en parla à Yvon Martin.

« J'ai l'intention de faire un don pour les sinistrés du Saguenay. Ce serait bon pour eux et ce serait bon aussi pour Quebecor. Je vais leur donner 100 000 $.

– Ben voyons Pierre ! 100 000 $, c'est pas assez !

– Comment ça, c'est pas assez ?

– Si tu veux que ça vaille la peine, il faut que tu donnes un million. Là, ça vaut la peine et les médias vont en parler. »

La réplique ne se fit pas attendre :

« Un million ! Es-tu fou ? »

Mais pas si fou, parce qu'une fois l'idée en tête, elle avait commencé à germer et Pierre Péladeau aimait vraiment ce concept. Il est entré en coup de vent dans mon bureau dès son retour rue Saint-Jacques et il m'a dit :

« Quebecor va donner un million au Saguenay ! Viens me voir qu'on travaille ça ! »

Il a fallu « travailler ça ». Je l'ai d'abord taquiné quand il a téléphoné à Lucien Bouchard, Premier ministre en poste. M. Péladeau ne lui avait plus adressé la parole et l'avait rayé de son vocabulaire depuis le Sommet économique de Québec en 1996.

« Comme ça, vous avez fini par lui parler ! » lui dis-je en souriant.

Il me répondit avec dépit :

« Y'a ben fallu ! J'avais pas le choix ! »

Ce fut ensuite la chaîne d'appels téléphoniques. Il avait pris sa décision finale : Quebecor donnait un million au Saguenay et il voulait le faire savoir maintenant. Ce qui semblait une chose simple s'est compliquée et a fini par l'embêter plus que toute autre. S'il donnait un million ou dix dollars, il voulait savoir où allait l'argent et qui le dépensait. Avec l'épisode du Saguenay, le gouvernement Bouchard en collaboration avec les autorités de la région sinistrée avaient demandé l'aide du public d'un commun accord, mais il fallait envoyer les dons en argent, en nourriture ou en vêtements à la Croix-Rouge qui, elle, se chargerait de la redistribution et de la coordination générale.

Cette marche à suivre ne plaisait pas du tout à M. Péladeau. Il aurait voulu contrôler l'utilisation de son million par l'entremise de la direction des hebdomadaires à Jonquière. De plus, il était convaincu qu'avec une contribution de cette importance provenant d'une entreprise privée, d'autres entreprises comme Bombardier, Power Corporation, de même que tous les géants de l'industrie au

Québec, emboîteraient le pas. Il était content rien qu'en pensant à tout ce qu'il était possible d'aller chercher grâce à son initiative.

Ensuite, il voulait que la source du million soit répartie comme suit : 400 000 $ des Imprimeries Quebecor et 600 000 $ de Donohue.

« Nous avons des usines au Saguenay et des hebdomadaires. C'est normal que l'on s'occupe de notre monde. »

Charles-Albert Poissant, son associé de la première heure et président de Donohue, n'était pas d'accord. À partir de ce moment, j'ai littéralement été pris entre l'arbre et l'écorce. M. Poissant n'était pas contre l'idée de donner l'argent, mais il voulait en assumer la décision et que ce fut Donohue qui en obtînt tout le crédit sur la place publique. M. Péladeau, de son côté, ne voyait qu'un nom pour toutes ses filiales : Quebecor. Qu'il s'agisse d'une imprimerie située en Beauce ou d'un hebdomadaire à Jonquière, c'était Quebecor. Il ne voulait pas faire de différence. Il avait travaillé toute sa vie en croyant à la force d'un groupe fort et solidaire, il n'allait certainement pas déroger à cette idée, surtout pas pour un million de dollars. À la fin de ce jeu de balle, j'étais encore le messager porteur de mauvaises nouvelles balloté de M. Poissant à M. Péladeau.

Charles-Albert Poissant avait beau me dire d'insister auprès de M. Péladeau pour le faire changer d'idée, il le connaissait depuis plus longtemps que moi et devait donc savoir qu'une fois que le grand patron avait pris sa décision, c'était IMPOSSIBLE de l'en dissuader.

Il y eut un chèque de un million de dollars émis à la Croix-Rouge dont 600 000 $ venaient de Donohue et 400 000 $ des Imprimeries Quebecor, comme prévu.

Ce n'était pas tout. Il a tenu à aller présenter le don de Quebecor en personne à Chicoutimi. Nous nous y sommes rendus avec son hélicoptère. Une fois sur place, il a rencontré le directeur de la Croix-Rouge responsable de l'opération de financement et lui a demandé quelle somme le comité de secours avait reçu en plus de son million.

Je ne sais pas avec quels mots décrire la déception de M. Péladeau lorsqu'il s'est aperçu qu'il n'y avait pas eu de suivi, pas d'effet d'entraînement comme il l'espérait. Ce qui le déprima le plus fut de constater qu'au lieu d'être motivés pour activer les démarches et faire fructifier cette contribution, les gens de l'organisation n'avaient pas vraiment fait d'efforts supplémentaires pour solliciter d'autres entreprises. M. Péladeau n'en revenait pas. Il était d'autant plus aigri par cette léthargie qu'il avait la conviction que s'il avait pu gérer ce don lui-même, il y en aurait eu dix fois plus dans les coffres du comité de secours.

Une importante inondation frappa une région de la Saskatche-wan dans les jours qui suivirent. M. Péladeau piqua une sainte colère lorsque, pour tourner le fer dans la plaie, il apprit que la Croix-Rouge avait utilisé les fonds de secours du Saguenay pour en donner une partie aux sinistrés de l'autre province. Il trouva le geste inacceptable et incompréhensible.

« J'ai donné cet argent pour aider mon monde, pas les autres d'ailleurs. C'est au Québec que ça devait rester. Je savais que je ne pouvais pas faire confiance au gars de la Croix-Rouge. » Il n'a jamais digéré cet épisode.

Son dernier projet philanthropique, qu'il considérait comme sa dernière grande contribution à la société, fut la création d'une chaire d'entrepreneurship consacrée aux jeunes. Dans ses discours et ses rencontres, il ne ménageait jamais ses conseils à ceux qui venaient lui en demander, surtout s'il s'agissait de création d'emplois et de jeunes entreprises. Ce travail l'inspirait et il voulait faire davantage pour pousser les jeunes qui désiraient se prendre en main et réussir.

L'idée de cette chaire lui est venue au cours de ses voyages qui l'amenaient à donner des conférences un peu partout. Il aimait la région de Moncton. Il trouvait que les Acadiens étaient énergiques et solidaires de leur milieu. Lors d'une conférence à l'université de Moncton le 25 janvier 1997, il avait parlé de cette idée au recteur et à des directeurs de département.

Au départ, M. Péladeau prévoyait un projet modeste. Il voulait commencer avec un montant de 100 000 $ à 150 000 $ réparti entre deux ou trois universités. Les universités, quant à elles, visaient plutôt autour de un ou deux millions de dollars. Elles voulaient aussi avoir l'argent et le gérer tandis que M. Péladeau voulait s'oc-cuper de la gestion à partir de Quebecor.

L'université de Moncton lui plaisait beaucoup. Il y trouvait l'esprit d'action qu'il cherchait, mais il considérait que c'était trop loin de Montréal. Il aurait été appelé à se déplacer et il n'avait plus tellement d'énergie à consacrer à des voyages.

Plusieurs autres universités voulaient aussi obtenir la chaire. Les gens de l'université Laval prétendaient qu'ils représentaient l'entrepreneurship au Québec, les gens de l'université de Sherbrooke disaient la même chose ; l'École des hautes études commerciales proposait de joindre un surcroît d'étudiants, tandis que l'université du Québec à Montréal se disait jeune, dynamique, etc. Bref, il y avait plusieurs vendeurs.

Finalement, les gens se sont parlé entre eux et c'est Laurent Beaudoin, président de Bombardier, qui a communiqué avec Pierre Péladeau pour lui proposer une rencontre au club Saint-Denis. Cette rencontre devait réunir l'ensemble des représentants des grandes universités du Québec et faire débloquer le projet. M. Beaudoin représentait l'université de Sherbrooke.

Il fallait voir le groupe et la différence de mentalité qui existait entre les universitaires et les entrepreneurs présents. Les choses n'allaient pas assez vite au goût de M. Péladeau. Ce n'était pas dans sa nature de créer de comités de gestion ou d'étude. Il trouvait que les universitaires perdaient trop de temps à rédiger des rapports que personne ne lisait. Les universitaires pensaient théorie, M. Péladeau pensait pratique. Il faut essayer de vous l'imaginer avec le doigt pointé vers le ciel, comme sa mère Elmire Péladeau.

« Je ne veux pas financer des chercheurs, je veux financer des *trouveurs*. »

Il avait constaté que, même avec la meilleure volonté du monde, les jeunes avaient souvent de la difficulté à présenter leurs projets devant les financiers. Si on ne leur montrait pas comment faire un plan d'affaires, comment préparer un bilan, comment parler à un banquier, ils avaient beau avoir tous les diplômes imaginables, ils n'obtiendraient pas une marge de crédit.

Au fur et à mesure que la réunion avançait, je voyais que l'on essayait de mettre de l'eau dans son vin des deux côtés de la table et la volonté de trouver un terrain d'entente était palpable. Connaissant M. Péladeau, je n'avais aucun doute qu'il finirait par l'avoir sa chaire de l'entrepreneurship et qu'elle contribuerait à former de grands gestionnaires.

Pierre Péladeau avait déjà financé des bourses d'études dans un programme conjoint réalisé, entre autres, avec Marcel Couture d'Hydro-Québec. Il avait bien voulu y contribuer, mais il avait aussi voulu savoir ce à quoi servaient les bourses. Une année, il apprit que la bourse qu'il avait payée avait été remise à une étudiante en biologie qui avait élaboré une « patente » dont le nom était imprononçable et qui ne servait strictement à rien dans la théorie comme dans la pratique. Cette « patente » ne serait jamais développée ailleurs que dans cette session. Il fut d'autant plus amer que la récipiendaire ne lui adressa jamais un mot de remerciement. Il ne voulait pas que les fonds de la chaire d'entrepreneurship soient dépensés de la même façon, pour des « patentes » inutiles.

Le projet de chaire vit le jour, mais uniquement après sa mort, en février 2001. Cette chaire est dirigée par Pierre Laurin, président, et Laurent Lapierre, professeur titulaire à l'École des hautes études commerciales.

Pierre Péladeau a reçu plusieurs honneurs durant sa vie, mais parfois c'étaient de simples petites démonstrations qui le touchaient le plus. Ce fut le cas lorsque le président de la Banque nationale du Canada lui présenta des plaques en bronze à installer dans les deux salles de spectacles qu'il finançait. Ce cadeau provenait du banquier André Bérard, auquel on avait cependant quelque peu forcé la main.

Sur le plan des relations publiques, la durée à long terme d'une action est un facteur important à considérer au chapitre de la promotion. Je trouvais dommage que les gestes posés par Pierre Péladeau pour le Centre Pierre-Péladeau et pour le Pavillon des Arts de Sainte-Adèle ne reçoivent pas la reconnaissance méritée. Par exemple, après un concert donné au Pavillon, on ne mentionnait pas la participation de M. Péladeau, et rien n'indiquait que le Centre Pierre-Péladeau portait ce nom à cause de la dévotion de l'homme d'affaires envers les arts. J'ai donc eu l'idée de faire couler des plaques en bronze, lesquelles rendraient hommage au fondateur de Quebecor pour son œuvre. Mon objectif était d'immortaliser un peu le travail de Pierre Péladeau comme le font les musées ou les établissements historiques un peu partout dans le monde.

Je savais cependant que Pierre Péladeau ne voudrait pas payer pour une telle coquetterie. J'ai donc décidé de faire le tour de la liste des commanditaires du Pavillon des Arts de Sainte-Adèle afin de cibler l'entreprise qui pourrait financer un pareil projet, modeste en soi, d'environ 5 000 $. J'ai pensé à la Banque nationale et j'en ai parlé à Carole Gagné, directrice des relations publiques, qui en a touché un mot à André Bérard, président de la Banque. Il a accepté l'idée.

J'ai finalement abordé la question avec Pierre Péladeau, principal intéressé, pour lui faire part du projet. Il devait être d'accord, sinon les plaques ne verraient jamais le jour.

Il m'a répondu :

« C'est une bonne idée, mais je ne paierai pas pour ça.

– Non, ça ne vous coûtera rien ! Elles sont payées par un commanditaire. La Banque nationale a décidé de vous les offrir. »

Il fut touché par ce clin d'œil de son ami de la Banque qui avait immédiatement dit oui à ma demande de financement. Pour M. Péladeau, ce geste était une marque de respect de la part de M. Bérard et une sorte de reconnaissance à son égard. Il mentionna souvent par la suite dans ses discours combien ce geste simple, mais réalisé de bon cœur par André Bérard, lui avait fait plaisir. Il demanda aussi que le compte bancaire du Pavillon fût transféré à la succursale de la Banque nationale de Sainte-Adèle, une sorte de réponse au clin d'œil du grand banquier de la rue voisine de Quebecor.

Chapitre 12

Le dauphin Pierre-Karl

Pierre-Karl Péladeau était certainement celui que son père voulait voir occuper le siège de président. Le problème est qu'il ne lui a jamais vraiment confirmé le poste de son vivant et qu'en plus il le maintenait sur la corde raide en s'opposant à ses idées et à ses méthodes de gestion.

Contrairement à son père, Pierre-Karl n'a jamais voulu être à l'avant-scène médiatique. Je me souviens, lorsque j'avais à travailler avec lui, qu'il me disait toujours :

« La vedette c'est mon père ! Moi, je ne suis pas un acteur. »

Peut-être changera-t-il d'opinion un jour, mais Pierre-Karl Péladeau ne se voit pas comme un patron de presse. Il a une façon industrielle d'aborder les choses. Pour PKP, comme on le surnommait familièrement à l'époque, il importe davantage de maximiser les retombées économiques des journaux et des imprimeries que de véhiculer un message nationaliste comme son père l'a toujours fait.

Pierre-Karl devait normalement attendre quatre ou cinq ans après la mort de son père avant de prendre la direction de l'empire. Je me rappelle, juste avant mon départ, en janvier 1998, que quelqu'un de la direction m'a dit que l'on « mâterait » le jeune PKP et qu'il allait devoir attendre et apprendre à vraiment faire des affaires. J'ai alors répondu que c'était bien mal évaluer la situation et surtout le talent de Pierre-Karl.

Effectivement, moins de 15 mois plus tard, au début de 1999, Pierre-Karl Péladeau devint président et chef de la direction de

Quebecor. Le jeune dauphin a évalué les adversaires en lice et dans un style dont son père aurait été fier, il s'est levé et il s'est emparé du fameux siège tant convoité de président.

* * *

Pierre-Karl Péladeau a un style de direction plus moderne que celui de son père. Il voyageait beaucoup au début de son arrivée à la présidence. Il se déplace moins aujourd'hui, mais il se tient toujours informé des affaires internationales. Il parle plusieurs langues : le français, l'anglais, l'allemand, l'italien et l'espagnol. Pierre-Karl ne se permet pas de familiarités envers ses interlocuteurs et il est très direct en affaires. Sur le plan personnel, il est plus sympathique, mais il ne faut pas lui parler d'affaires.

Pierre-Karl affiche plus son côté intellectuel que ne le faisait son père. Il se sent à l'aise de montrer son savoir et peut tenir une discussion avec des universitaires ou avec des gens de la haute finance. Il connaît suffisamment ce domaine pour tirer son épingle du jeu avec les experts. Pierre-Karl Péladeau n'est certainement pas un faible ni un trouillard, mais il est parfois timide. On ne lit pas en lui comme en un livre ouvert.

Son enfance n'a pas été facile, pas plus que pour son frère Érik et ses sœurs Isabelle et Anne-Marie. Pierre-Karl a vécu un certain temps chez la famille de Raymond et Marie Laframboise, ce qui lui a permis d'acquérir une forme d'indépendance vis-à-vis de son père. Marie Laframboise est une femme extraordinaire et très gentille que j'ai eu l'occasion de rencontrer souvent lors de concerts de l'Orchestre métropolitain ou au Pavillon des arts.

Même si Pierre-Karl n'aime pas être identifié à son père, il a plusieurs points en commun avec lui, ce qui explique pourquoi les deux hommes étaient toujours en compétition. Cette compétition expliquerait le désir pressant qu'a aujourd'hui Pierre-Karl d'imposer sa propre marque à Quebecor et de faire oublier qu'il est l'héritier du fondateur. Il veut prouver qu'il est aussi capable de réaliser de grandes choses. C'est malheureux, mais à cause de ce sentiment, immédiatement après le décès de Pierre Péladeau, certaines œuvres comme l'Orchestre métropolitain ont été rapidement abandonnées. Par contre, d'autres œuvres refusées par le père, comme *La La La Human Steps*, ont été appuyées financièrement.

Je me rappelle que Pierre-Karl avait demandé que Quebecor participe à la campagne de financement de *La La La Human Steps*, troupe de danse que je trouvais moi-même très intéressante. Pierre Péladeau s'était presque fâché.

Il m'avait répondu : « Monsieur Bernard, vous me faites perdre mon temps ! »

Une autre différence entre le père et le fils se trouve dans leur allégeance politique. Pierre-Karl est apolitique et il dit qu'il fera en sorte de ne pas être au pays le jour des élections.

* * *

Pierre-Karl Péladeau a fait ses études au collège Jean-de-Brébeuf où il animait ponctuellement une émission de la radio étudiante. On dit qu'il y lisait des extraits du *Journal de Montréal*. C'était audacieux, car à Brébeuf on préférait *Le Devoir*. Son premier emploi d'été en 1975 fut celui de photographe au *Journal de Montréal*, comme Érik qui fut lui aussi photographe au journal à un autre moment.

Pierre-Karl étudia ensuite en philosophie à l'université de Montréal, comme son père. Il s'y découvrit une vocation marxiste et se rebella contre sa famille. Il déménagea pour s'installer avec Charles, fils de Roger D. Landry, ancien président et éditeur de *La Presse*, dans un appartement qualifié de taudis sur la rue Saint-Dominique à Montréal. Pierre-Karl ne voulait rien savoir de l'argent de son père et il travaillait au Big Boy, restaurant *greasy spoon* du quartier Côte-des-Neiges.

Pour ses 18 ans, le 16 octobre 1979, son père avait organisé une petite fête en son honneur au club Saint-Denis. Pierre-Karl se leva devant le groupe et lança :

« Vous êtes tous des bourgeois ! Je ne veux rien savoir de vous autres. Laissez-moi tranquille. »

Son père lui répondit :

« Tu es libre, mais si tu changes d'idée, tu seras le bienvenu ! »

En 1982, à l'âge de 21 ans, Pierre-Karl décida de partir pour la France et il s'inscrivit à la maîtrise en philosophie à l'université de Paris VIII. Il s'isola dans ses études, mais garda le contact avec sa sœur Isabelle à Montréal. En octobre de l'année suivante, le jour de son anniversaire, son père débarqua à Paris et l'invita au prestigieux restaurant Maxim's. Ce fut alors une sorte de réconciliation, selon ce qu'en disait Pierre Péladeau.

Pierre-Karl s'inscrivit ensuite en droit à l'université Panthéon-Assas Paris II. Il poursuivit ainsi ses études jusqu'en 1985 pour ensuite revenir à Montréal et travailler chez Quebecor, tout en terminant ses études en droit et en préparant son barreau. C'est à cette époque qu'il comprit la valeur de Quebecor et, surtout, le potentiel de l'entreprise.

Pierre Péladeau était très fier de son fils et il voyait d'un bon œil que ses enfants s'intéressent à l'entreprise. À la fin des années 1980, Quebecor commençait à s'imposer et les acquisitions se multipliaient. Les plus remarquables furent très certainement l'achat de la papetière Donohue en 1987 et l'acquisition des imprimeries Ronalds Printing de Bell Canada (BCE) en 1988, opération qui amena Charles Cavell dans les rangs de Quebecor. C'est à ce moment, en 1988, que fut lancé le quotidien *The Montreal Daily News*.

Pierre-Karl Péladeau n'avait pas encore 29 ans, en 1990, qu'il dirigeait l'acquisition des imprimeries américaines de Maxwell Graphics d'une valeur de 510 millions de dollars. Les observateurs s'entendent pour dire que c'est avec ce dossier qu'il commença à faire sa marque.

Pierre-Karl était un travailleur infatigable qui restait très tard la nuit pour négocier, sans manger ni boire. Cet acharnement n'est pas sans rappeler les méthodes utilisées par Brian Mulroney, lorsqu'il négociait à titre d'avocat des conventions collectives pour ses clients dans les années 1970. L'opération de Pierre-Karl permit d'ajouter 14 usines d'imprimerie, ce qui plaça Quebecor au deuxième rang des imprimeurs en Amérique du Nord. C'est à ce moment que l'empire prit véritablement forme.

Assez étrangement, c'est aussi à partir de ce moment que les relations entre le père et le fils ont recommencé à se détériorer, du moins verbalement. C'était un peu comme si les succès du fils faisait craindre au père d'être éjecté de son siège. Pierre Péladeau contestait presque toujours la manière de faire de son fils. Il prétendait qu'il avait encore beaucoup à apprendre, malgré ses succès.

Cette façon d'agir était probablement sa façon de motiver Pierre-Karl et de le pousser au-delà de ses limites. Lorsque je fus en poste auprès de Pierre Péladeau, il m'a souvent dit qu'il était fier de son fils. Toutefois, il ne le mentionnait jamais en présence de Pierre-Karl.

Dès 1991, je savais que Pierre-Karl Péladeau remplacerait un jour son père. Mais dans la vie rien n'est certain et Pierre Péladeau ne discutait jamais du choix d'un successeur potentiel, ni devant les cadres de Quebecor ni devant son fils.

Le 30 octobre 1993, durant un colloque sur les entreprises familiales et la relève organisé par le Dr Yvon Perreault de l'UQÀM, et pour lequel je devais préparer l'allocution de Pierre Péladeau, ce dernier m'avait demandé de souligner dans le texte l'apport important de tous ses enfants, en particulier celui d'Érik, d'Isabelle et de Pierre-Karl. J'avais discuté avec Pierre Péladeau durant un voyage à Québec et j'avais compris qu'il voulait surtout dire qu'il n'était pas prêt à partir. J'ai alors eu l'idée de le comparer avec un autre magnat que j'avais rencontré durant mon séjour à Moncton, Kenneth C. Irving, mieux connu au Nouveau-Brunswick sous le nom de K.C. L'empire de ce dernier ressemblait un peu à Quebecor avec la particularité que ses trois fils, Jack, Jim et Arthur, alors âgés de plus de 60 ans, appelaient encore leur père papa (*Father*) au bureau. Le fondateur, bien qu'âgé de 90 ans, n'avait pas encore passé le flambeau. Il a fallu attendre son décès, vers la fin des années 1990, pour que les trois fils deviennent héritiers en règle de l'entreprise, mais avec une clause au testament qui forçait ces derniers à s'établir aux Bahamas, sinon pas d'héritage…

Lors du colloque sur les entreprises familiales, Pierre Péladeau avait donc inscrit dans son texte mon allusion à K.C. Irving et il avait rajouté :

« Je suis très fier des performances de mes fils Érik et Pierre-Karl, mais je n'ai surtout pas l'intention de quitter ma chaise. »

Certains journalistes ont rapporté que ce discours avait profondément troublé Pierre-Karl qui voulait tout abandonner.

* * *

J'ai toujours pensé que Pierre Péladeau admirait Pierre-Karl, mais je n'ai jamais compris pourquoi il ne le lui disait pas. C'est comme s'il ne réussissait pas à lui avouer son amour de père et son admiration pour l'énergie et l'audace dont il faisait montre au travail.

J'étais présent lorsque Pierre-Karl est arrivé à l'Hôtel-Dieu de Montréal le 2 décembre 1997. Je le revois encore devant le lit en métal de son père que l'on avait installé dans une chambre individuelle. L'image était celle d'un fils qui aime son père. Durant les premières journées où je me rendais encore visiter Pierre Péladeau, j'ai pu constater que c'était Pierre-Karl qui avait pris les choses en main. Il était continuellement à son chevet et les autres écoutaient ses consignes. Il a dit plusieurs mois plus tard en entrevue :

« J'ai toujours gardé espoir de le revoir vivant. »

Pierre-Karl Péladeau était l'héritier en ligne pour assurer la relève, en compagnie de son frère Érik. Le testament n'a jamais été lu en dehors de la famille, mais on sait que le fondateur a légué à parts égales les actions votantes majoritaires de Quebecor appartenant à la famille, soit 66,24 % des droits de vote en date du 6 février 2002.

Érik Péladeau n'a pas du tout la même personnalité que son frère et il n'est pas surprenant que les deux se soient très bien entendus sur le partage des pouvoirs, et ce, sans aucun conflit.

Pierre-Karl Péladeau est un gestionnaire beaucoup plus cartésien que son père, mais il a hérité de son énergie. Comme son père, il parcourt à la nage 50 longueurs de piscine chaque matin au Sporting Club de sa résidence du Sanctuaire à Montréal. À l'instar de son père qui disait avoir été champion au tennis, Pierre-Karl est très habile dans les sports. Il a longtemps affiché sur son bureau du 612 de la rue Saint-Jacques Ouest une photo de lui le représentant en train de faire du ski nautique.

Pierre-Karl a une fille, Marie, née en avril 2000 de son mariage avec Isabelle Hervet, fille d'un grand banquier français. Le couple est séparé et Pierre-Karl fréquente Julie Snyder, animatrice et productrice.

J'ai eu l'occasion de collaborer avec Mme Hervet à l'occasion de la préparation du mariage en 1994. Pierre Péladeau était inquiet par rapport au protocole et, surtout, il voulait que je m'assure que le message qu'il voulait livrer aux invités soit approprié. Plus tard, en 1996, la présence à Paris de la famille Hervet facilita la coordination du dossier de la Légion d'honneur accordé à Pierre Péladeau.

J'ai bien connu aussi Julie Snyder ; elle avait collaboré à quelques reprises aux activités organisées par Pierre Péladeau. Julie est une fille très énergique, mais qui a eu une enfance difficile, comme Pierre-Karl. J'avais des contacts professionnels réguliers avec Julie, avant le décès de M. Péladeau en 1997, mais comme mes activités ne me lient plus au milieu artistique, je ne la revois pas souvent.

Pierre-Karl Péladeau a toujours été considéré comme un beau garçon et il est certain que son père se « *mirait* » en lui. Il n'hésitait pas à dire qu'il trouvait son fils beau.

Pierre-Karl mène une vie plutôt sobre sur le plan des loisirs et de ses dépenses personnelles. Contrairement à d'autres hommes d'affaires riches, il n'a pas de voiture sport extravagante ou de collection quelconque. Il aime faire du sport et fumer un bon cigare à l'occasion.

* * *

Depuis sa venue à la direction de Quebecor, Pierre-Karl Péladeau a poursuivi les acquisitions. Il s'est fait remarquer par son audace et sa témérité.

La première transaction importante fut sans aucun doute la fusion de Sun Media avec Quebecor à la fin de 1998. L'entente fut signée le 9 janvier 1999 à Toronto entre Paul Godfrey, grand patron de Sun Media, et Pierre-Karl Péladeau qui était accompagné de Charles Cavell. C'est à la suite d'une offre d'achat hostile en octobre 1998 par Torstar (Toronto Star), entreprise rivale, que Quebecor devint propriétaire de la totalité des actions. Malgré l'échec de son père en 1996, Pierre-Karl a réussi à s'imposer à Toronto en grande partie grâce à Charles Cavell qui avait conservé ses contacts avec Godfrey. La nouvelle filiale, Corporation Sun Media, permettait alors à Quebecor d'augmenter considérablement ses journaux et de centraliser la gestion de ses publications, en plus d'occuper une place de choix sur le marché ontarien.

Une deuxième acquisition de grande importance fut l'achat de l'imprimerie américaine World Color Press en 1999. Cette transaction atteignit 2,7 milliards de dollars américains et créa une nouvelle entité. Quebecor World devint par le fait même le plus grand imprimeur au monde, devançant le compétiteur américain Donnelley. Quebecor World compte environ 40 000 employés et plus de 160 usines partout dans le monde. Les activités sont liées entre elles par un même site virtuel à partir de la Suisse. Toutes les commandes de papier, d'encre et de machines sont regroupées à partir de ce site, ce qui permet d'obtenir une meilleure synergie, de meilleurs prix et, par conséquent, une marge de profit accrue.

La vente de la participation de Quebecor dans Donohue et la fusion des activités en avril 2000 a été une autre opération financière d'envergure qui tournait la page sur une époque importante de l'histoire de l'empire Quebecor. Il s'agissait cependant d'un délestage plutôt que d'une nouvelle acquisition. C'est Abitibi-Consolidated qui est devenu le nouveau propriétaire des usines de Donohue.

Mais c'est sans contredit l'acquisition de Vidéotron qui a transformé l'importance de Quebecor au Québec. La transaction, réalisée à la fin de mars 2000, lia Quebecor inc. et Capital Communication, filiale de la Caisse de dépôt et placement du Québec. Une opération de l'ordre de 5,4 milliards de dollars. La structure de l'opération accordait 54,6 % des actions à Quebecor, 14,0 % à Capital Communication et 31,4 % en actions échangées en Bourse. Cette offre d'achat était audacieuse, car le prix payé de 49 $ par action de Vidéotron était de beaucoup supérieur à l'offre de Rogers.

L'ensemble de l'actif en communication a été intégré à la nouvelle entité qui comprend Vidéotron Cable, Sun Media, TVA, les magazines de Quebecor, ainsi que les éléments d'actif internet Canoe, Netgraphe et Informission.

Pierre-Karl Péladeau est aujourd'hui à la tête d'un empire dont les revenus annuels dépassent les 12 milliards de dollars selon les chiffres de décembre 2002. Comme le mentionne la capsule des communiqués de presse de l'entreprise, celle-ci exerce ses activités partout en Amérique du Nord, en Europe, en Amérique du Sud et en Asie. Elle exploite cinq secteurs d'activité : l'édition de journaux, de magazines et de livres, la vente et la distribution de disques, la télédiffusion, le multimédia et l'imprimerie. Quebecor compte près de 60 000 employés dispersés dans quinze pays.

Du petit atelier d'imprimerie du *Journal de Rosemont* sauvé de la faillite en 1950 par Pierre Péladeau, grâce à un prêt de 1 500 $ de sa mère Elmire, le rêve a dépassé les plus grandes espérances. Il a fallu un demi-siècle pour que l'entreprise québécoise s'affirme et dépasse les frontières.

Le fils du fondateur, Pierre-Karl Péladeau, est né 11 ans après le début de l'aventure, mais il se trouve aujourd'hui à la barre d'une des plus importantes créations industrielles de notre époque.

Le rêve de Pierre Péladeau était de faire oublier la faillite de son père et de prouver, entre autres à sa mère, qu'il était un meilleur homme d'affaires. Il a gagné son pari. C'est maintenant au tour de son propre fils d'entrer en scène et d'essayer de montrer que l'aventure se poursuit.

Chapitre 13

L'après-Péladeau

L'histoire se répète inlassablement d'une époque à une autre. De jeunes entrepreneurs, hommes ou femmes, lancent une affaire à partir d'une simple idée. L'entreprise grandit, parfois au-delà de toute espérance, et elle devient gigantesque.

Puis le cycle tourne. Le jeune entrepreneur devient vieux et il s'éteint. Ses enfants, s'il en a, peuvent alors prendre la relève ou tourner la page en vendant l'entreprise.

L'histoire de Quebecor n'est pas unique. Il s'agit de l'histoire d'une entreprise familiale qui a réussi et pour laquelle nous en sommes à la deuxième génération. Que nous réserve l'avenir?

Pierre Péladeau répétait souvent:

« On ne naît pas entrepreneur, on le devient. »

Il disait aussi qu'il y a trois sortes de personnes:

« Ceux qui font partie de la parade; ceux qui regardent passer la parade et ceux qui ne savent pas qu'il y a une parade. »

Pierre Péladeau a non seulement mené la parade, mais il l'a créée.

Un journaliste lui a demandé quelques mois avant sa mort s'il était heureux à l'approche de la fin. Il a répondu:

« J'ai réussi dans la vie, mais je n'ai pas réussi ma vie. »

C'est une nuance importante. Pierre Péladeau a choisi de consacrer sa vie à bâtir un empire, au détriment de sa vie privée et aux dépens de son propre bonheur. Mais M. Péladeau était un rebelle et il n'acceptait pas de s'en faire imposer. On peut présumer qu'il a assumé ses choix jusqu'à la fin de sa vie.

Qu'arrivera-t-il de l'empire Quebecor ? Pierre-Karl Péladeau poursuit l'élan amorcé par son père d'une façon frénétique et presque dangereuse. Certains le voient comme un coureur automobile qui se dirige droit dans un mur de béton.

La taille de l'empire Quebecor est énorme, mais son évolution a été progressive et elle a profité d'événements ponctuels tout au long de son histoire. De plus, la teneur des critiques n'est pas tellement différente aujourd'hui, en 2003, de ce qu'elle était en 1990. Il suffit de relire l'article publié dans le magazine *L'Actualité* du 15 avril 1990, précisément celui qui a tant bouleversé Pierre Péladeau et son entreprise. Les analystes financiers y mettaient en garde les investisseurs contre Quebecor. Voici un extrait de l'article de Jean Blouin :

« La dette de Quebecor atteint 800 millions de dollars, dit l'analyste financier chez Midland Doherty : soit un dollar dix pour chaque dollar des actionnaires. C'est énorme ! Le plus inquiétant, c'est que l'entreprise n'a presque plus de marge de manœuvre.

» Les dernières acquisitions ont coûté cher. Les taux d'intérêt sont élevés. Les profits de Donohue sont à la baisse. On a englouti 10 millions de dollars dans le *Montreal Daily News* avant de mettre le cadenas à la porte. *Super-Hebdo*, qui devait éliminer tous les journaux de quartier de l'île de Montréal, s'apprête à subir le même sort : 10 millions de dollars envolés en fumée. La Bourse a réagi, et en quelques mois, les actions de Quebecor sont tombées de 20 $ à 13 $ (au 8 mars).

» Quebecor a beau avoir des filiales dans tout le continent, les milieux financiers montréalais se méfient de Pierre Péladeau. On le trouve imprévisible, brouillon. Pourquoi, demande-t-on, avoir acquis Donohue quand les spécialistes étaient unanimes à prédire, pour le début de la décennie, plusieurs années de vaches maigres pour les fabricants de papier journal ? La présence de Robert Maxwell à ses côtés (il détient 49 % des actions) ne rassure pas tout à fait. »

Un peu plus loin dans l'article :

« Je ne veux pas d'actions de Quebecor, même pour mes placements à haut risque ! s'exclame le provocant Stephen

Jarislowsky, un des plus importants administrateur de fonds de pension au Canada. Je n'ai pas confiance. Je vais attendre un an, même deux. »

* * *

Treize ans plus tard, en 2003, la situation n'a pas vraiment changé en ce qui concerne les critiques des observateurs. Seule la cible a changé de nom. Aujourd'hui, plutôt que de s'attaquer au père, que l'on qualifie maintenant de gestionnaire prudent et presque génial, on critique le fils en lui attribuant les même qualificatifs que ceux qui étaient autrefois accolés au fondateur de Quebecor. On prétend que Pierre-Karl est trop audacieux et qu'il va faire couler l'empire bâti par son père. On lui a même reproché d'avoir vendu Donohue, que l'on avait reproché à son père d'avoir achetée. L'article publié dans le journal *La Presse* de Montréal, en date du 5 décembre 2002, présente un exemple des attaques en règle contre la formule Pierre-Karl. Dans ce texte, signé Michèle Boisvert, c'est Stephen Jarislowsky qui mène la charge, le même qui s'attaquait au père dans l'article de *L'Actualité* de 1990. Voici un extrait de l'article :

« Quebecor inc. a de bons éléments d'actif, mais ils sont très mal gérés. Il y a trop de gens de qualité qui ont quitté l'entreprise et ses filiales. L'annonce récente des départs de Charles Cavell et Christian Paupe, les deux plus importants dirigeants de Quebecor World, en est un bon exemple. Pierre-Karl Péladeau est intelligent, mais il ne pourra pas réussir tout seul. Il en a actuellement trop dans son assiette. Il court dans toutes les directions.

» La firme de Stephen Jarislowsky détient 19,6 % des actions avec droit de vote subalterne de Quebecor inc.

» Au 30 septembre dernier [2002], la dette totale de Quebecor inc. s'élevait à 6,9 milliards de dollars dont 3,7 milliards liés à Quebecor Media.

» Je ne voudrais pas être à la place de Pierre-Karl Péladeau. Avec la dette énorme que Quebecor a contractée, il est dans le pétrin. Au fond, il me fait un peu pitié. La situation est très, très difficile pour lui.

» C'est terrible que Quebecor inc. se soit endettée au point où elle se trouve obligée de vendre des actions d'une entreprise qui va bien, pour renflouer une entreprise qui ne marche pas », déplore M. Jarislowsky.

Plus loin dans l'article, la journaliste demande au gestionnaire ce qu'il pense des rumeurs selon lesquelles un groupe de dirigeants de Quebecor World, soutenu par le Holding Kohlberg, Kravis Roberts & Co, de New York, aurait proposé d'acquérir Quebecor World. Ces rumeurs avaient été niées catégoriquement par Quebecor inc. dès qu'elles avaient commencé à circuler. Dans l'article, M. Jarislowsky affirme que, si cette rumeur était cependant fondée, et si le groupe KKR offrait un bon prix, Quebecor devrait sérieusement envisager une vente. Il poursuit en lançant un message direct à Pierre-Karl Péladeau, l'égratignant au passage :

« Il lui faut une équipe solide, un bon conseil d'administration et un bon mentor. Il faudra aussi que Pierre-Karl Péladeau écoute son conseil d'administration, et respecte le mandat qu'on lui donnera. M. Péladeau est un homme intelligent, il n'y a pas de doute, mais ce n'est pas un homme facile pour les gens qui travaillent pour lui. »

* * *

Est-ce que Pierre-Karl Péladeau gagnera son pari ?

Il faudra attendre de voir l'évolution de l'empire au cours des prochaines années. Mais une chose est sûre : plus ça change, plus c'est pareil. Quebecor n'est pas la seule entreprise aux prises avec le changement. C'est un phénomène universel : on naît, on grandit et on s'éteint. Ce qu'il importe de savoir, c'est à quel stade se situe l'évolution de Quebecor.

Par ailleurs, si l'on regarde dans l'ensemble des entreprises de communication qui ont pris le virage du multimédia, il se trouve aussi des géants de cette industrie qui se sont effondrés. Ils étaient pourtant plus en moyens et avaient de meilleures assises que Quebecor Media. Des entreprises ayant connu cet effritement sont cotées au plus bas niveau de NASDAQ, lorsqu'elles ne font pas partie des grandes disparues des deux dernières années.

Mais Quebecor Media est encore debout.

Sur le plan pratique, il sera intéressant de voir les rôles que joueront les autres enfants de Pierre Péladeau. Que feront Simon-Pierre, Esther et « Petit Jean » ? Isabelle s'est retirée de Publicor en octobre 1998 et elle s'occupe de sa famille. Érik est toujours très actif, mais discret.

Souvent, lorsque je suis dans le Vieux-Montréal et que je marche vers le centre-ville en remontant la rue McGill, je passe devant l'édifice du 612 de la rue Saint-Jacques Ouest. À l'occasion, je rencontre d'anciens collègues de travail de Quebecor avec qui j'étais quotidiennement en contact, et que Pierre Péladeau aimait particulièrement : Claudine Tremblay, qui était à l'époque la secrétaire juridique avec qui je devais vérifier chaque information sur Quebecor avant publication ; Micheline Mallette, secrétaire d'Érik et Chantale Lalonde, son assistante personnelle ; Madeleine Bergeron, secrétaire de Pierre-Karl durant les années où j'étais l'adjoint du père ; Michel Malo, messager maison qui dépannait souvent Pierre Péladeau en le conduisant à l'héliport.

C'est inévitable, chaque fois que la conversation s'engage au-delà du simple bonjour, l'échange fait toujours allusion « à l'époque de Pierre Péladeau ». Les remarques sont généralement les mêmes : « on aimait beaucoup Monsieur Péladeau ».

La réaction est semblable, même à l'extérieur du personnel de Quebecor. J'ai souvent l'occasion de croiser Vasco Ceccon et Francine Léger, propriétaires de Vasco Design. Ils étaient de grands amis de Pierre Péladeau bien avant que j'arrive chez Quebecor. Je les ai bien connus, car ils ont réalisé la majorité des rapports annuels de l'entreprise entre 1991 et 1997. Péladeau les aimait bien aussi, et il appréciait leur travail. Souvent, lorsque la firme de conception graphique envoyait sa facture, il s'exclamait que c'était trop cher. Il téléphonait alors à Vasco et il négociait un rabais de quelques centaines de dollars. Vasco Design ne produit plus les rapports annuels de Quebecor, mais les propriétaires de cette firme conservent, eux aussi, un souvenir impérissable du fondateur.

* * *

En ce qui me concerne, lorsque j'ai quitté Quebecor en janvier 1998, je suis devenu consultant privé. J'ai contribué à plusieurs projets depuis cinq ans.

Parfois, je dois faire face aux conséquences du passé et aux retombées de certaines victoires remportées par Pierre Péladeau. Un exemple de ces conséquences est la perte d'un mandat que j'avais obtenu à Québec en avril 2001 avec un ministre important du gouvernement de Bernard Landry. Je devais le conseiller au chapitre des communications. J'ai commencé le travail le 11 avril au matin, date d'anniversaire de naissance de M. Péladeau, mais vers 16 heures, le chef de cabinet, qui était une femme, m'a dit :

« Je regrette, mais on ne pourra pas continuer. Tu es probablement très efficace, mais j'ai reçu un appel téléphonique m'avisant qu'il valait mieux ne pas t'avoir avec nous. »

J'en ai appris la raison par la suite : un responsable d'un grand cabinet de relations publiques à Montréal, très proche du gouvernement de Bernard Landry, avait eu maille à partir avec Pierre Péladeau. Ce dernier avait ordonné en 1994, à l'occasion de l'inauguration de Quebecor Multimedia, que l'on annule un contrat d'organisation d'événement lorsqu'il avait appris que cette firme avait été embauchée par son fils Érik. Pierre Péladeau en avait contre le président de la firme en question pour une raison personnelle.

C'est le genre de représailles qui peut exister dans le monde des affaires, mais il ne faut pas trop s'en formaliser. D'ailleurs, deux semaines plus tard, j'ai obtenu un mandat beaucoup plus intéressant : diriger les communications pour la société Air France au Canada.

You miss a deal, you get a deal !

* * *

L'histoire est une roue qui tourne. Pierre Péladeau disait que les affaires sont aussi comme une roue qui tourne. L'important est qu'elle ne s'arrête jamais. C'était là son secret, m'avait-il dit : toujours conserver la roue en mouvement.

Les principales conférences prononcées par Pierre Péladeau de 1991 à 1997

1991
Anniversaire de la fondation du métro de Montréal
Chambre de commerce de Châteauguay
Chambre de commerce de la Rive-Sud
Chambre de commerce de Lachute
Chambre de commerce de Saint-Laurent
Chambre de commerce de LaSalle-Verdun
Hôpital Charles-Lemoyne de Longueuil
Congrès du Club des Initiés de Montréal
Vernissage musée Marc-Aurèle-Fortin de Montréal
Gala Hall of fame de Boston
Drogue et société de Montréal
CACPRIQ de Montréal
Web Press Graphics de Toronto
Chambre de commerce de Contrecoeur
Congrès Les Nouveaux Performants de Montréal
Gala de la Fondation de l'environnement du Québec à Montréal
Bal annuel du Pavillon Ivry-sur-le-Lac à Laval

1992
Chambre de commerce de Rivière-du-Loup
Chambre de commerce de Hawkesbury
Nacional Financiera du Mexique
Calgary Society of Financial Analysts de Calgary

Professeurs d'économie du Québec, Montréal
Ouverture du Centre-Pierre-Péladeau de Montréal
Institut des banquiers du Québec à Montréal
Chambre de commerce de Saint-Jérome
Bal annuel du Pavillon Ivry-sur-le-Lac à Laval

1993
Ville de Lorraine
Dîner hommage aux PME à Montréal
Soirée des Alfreds, association étudiante à Montréal
Esprit 1993 US Sales Conference Quebecor Printing à Québec
Festival de musique viennoise, Ville de Lorraine
Club Voyage, conférence à Montréal
Chambre de commerce du Montréal métropolitain à Montréal
Journée reconnaissance Quebecor à Montréal
Association des gens d'affaires de Vaudreuil
Bal de l'Escarbot à Montréal
Club Lions à Lévis
Amies d'affaires du Ritz à Montréal
Chambre de commerce de Sainte-Anne-de-la-Pérade
Association antitoxicomanie à Montréal
Forex, hôtel Intercontinental à Montréal
Ordre des pharmaciens du Québec à Montréal
Le Chaînon, Claire Léger, 50e anniversaire à Montréal
Fondation médicale des Laurentides à Saint-Jérome
Chambre de commerce de l'Outaouais à Hull
Conférence sur l'entreprise familiale à Montréal
Chambre de commerce de Laval
Chambre de commerce de Saint-Hyacinthe
Centre de commerce de Ahunstic
Bal annuel du Pavillon Ivry-sur-le-Lac

1994
Club Richelieu de Ville Émard
Chambre de commerce de Rouyn-Noranda
Artisans des arts graphiques de Montréal
Petit-déjeuner à la Relève à Montréal

New England Canadian Business Council à Boston
Ultramar à Montréal
Musée des religions à Nicolet
Chambre de commerce à Beauport
Jeune Chambre de commerce à Montréal
Provisoir à Québec
Agence de développement économique à Cornwall
Congrès AA Richelieu à Saint-Jean-sur-Richelieu
Canadian Direct Marketing Association à Montréal
Campus Notre-Dame-de-Sainte-Foy à Québec
Hôtel-Dieu de Saint-Jérôme
Chambre de commerce à Montréal-Nord
Fédération acadienne du Québec à Montréal
Chambre de commerce Jeunesse à Rivière-des-Prairies
Rendez-vous 94 à Montréal
Lancement du livre d'Yvon Perreault à Montréal
Maîtres-nageurs à Montréal
Doctorat *honoris causa*, université de Sherbrooke à Sherbrooke
Chambre de commerce de Trois-Pistoles
Jacques Nadon à Montréal
12 points du vendeur à Montréal
Association touristique à Trois-Pistoles
Corporation de développement économique des Basques à Trois-Pistoles
Université Sainte-Anne à Pointe-de-l'Église en Nouvelle-Écosse
Gala de l'ADISQ à Montréal
Bal annuel du Pavillon Ivry-sur-le-Lac à Laval

1995

Gendarmerie royale du Canada à Montréal
Hommage à M. Pierre Péladeau au Monument national à Montréal
Association des spécialistes du pneu à Trois-Rivières
Forces armées à Bagotville
Chambre de commerce du Lac Mégantic
Prix Pierre-Péladeau, UQÀM, à Montréal
Prix Grands Montréalais à Montréal
Gala Sacré-Cœur à Montréal

Bal annuel du Pavillon Ivry-sur-le-Lac à Laval
Prix Émergence à Montréal

1996
Club Optimiste Marconi, présentation du Sénateur Rizzuto à Montréal
Chambre de commerce à Sainte-Adèle
Chambre de commerce française à Montréal
Association France/Québec à Montréal
Chambre de commerce à Saint-Jovite
Fondation du Prêt d'honneur à Montréal
Gala bénéfice La Nef à Montréal
Table ronde économique franco-québécoise à Montréal
Lancement du livre d'Alain Cognard à l'accueil Bonneau à Montréal
Présentation d'un ouvrage de Patricia Pitcher à Montréal
Chambre de commerce à Baie-Comeau
Hommage à André Bérard, président de la Banque nationale du Canada à Montréal
Institut de gestion financière du Canada à Montréal
Lancement de l'autobiographie d'Andrée Boucher à Montréal
Société de développement de la main d'œuvre de la Montérégie
Académie Lafontaine à Montréal
Prix Art-Affaires à Montréal
Gala Mercuriade à Montréal
Chambre de commerce italienne à Montréal
Association des producteurs d'électricité à Montréal
CIREM à Montréal
Bal annuel du Pavillon Ivry-sur-le-Lac à Montréal

1997
Université de Moncton
Le Réseau C.M Q. inc., domaine Cataraqui à Montréal
Lancement de la collection « Le Plaisir de réussir » à Montréal
Jeune Chambre de commerce du Québec Métro à Québec
Conseil québécois du commerce de détail, à Montréal
Association des jeunes professionnels de l'Outaouais à Hull
Chambre de commerce du Lac Masson
Conférence de Patricia Pitcher à Montréal

Service Awards Ceremony Quebecor, Winnipeg Sun à Winnipeg
Fédération des Clubs de motoneiges du Québec à Longueuil
Association des vendeurs Remax à Laval
Chambre de commerce à Rimouski
Gala Excellence du *Journal de Montréal*, Hôtel Le Reine Elizabeth
à Montréal
Association étudiante à Chicoutimi
Bal annuel du Pavillon Ivry-sur-le-Lac

Annexe 2

Les animateurs invités au Pavillon des Arts de Sainte-Adèle et les concerts qu'ils ont présentés

Animateur	Concert	Date
Marguerite Blais	Louise Lebrun	5 septembre 1992
Mathias Rioux	Christian Parent	19 septembre 1992
Gilles Proulx	Quatuor Alcan	10 octobre 1992
Marie-Josée Longchamps	Mario Duchemin	7 novembre 1992
Gaston L'Heureux	Duo Carmen Picard et Elizabeth Dolin	5 décembre 1992
Julie Snyder	Alain Lefèvre	23 janvier 1993
Gilles Gougeon	Duo Anne Robert et Sylvianne Deferne	20 février 1993
Louise Deschâtelets	Quatuor Claudel	13 mars 1993
René Caron	Nicole Lorange	10 avril 1993
Jacques Boulanger	Claude Labelle	15 mai 1993
Serge Laprade	Jean-François Latour	12 juin 1993
Jean-Luc Mongrain	Colette Boky	26 juin 1993
Angèle Rizzardo	Orchestre baroque de Montréal	10 juillet 1993
Suzanne Lapointe	Les Chambristes de l'Île	24 juillet 1993
Johanne Blouin	Quatuor Arthur Leblanc	7 août 1993
Lise Payette	Duo Marie Doré et Charles Reiner	21 août 1993
Marie-Michèle Desrosiers	Richard Raymond	4 septembre 1993
Aline Desjardins	Alain Lefèvre	9 octobre 1993
Pauline Martin	Les Chambristes de l'Île	23 octobre 1993
Anne Bisson	André Moisan	6 novembre 1993
Alain Stanké	Duo Carmen Picard et Elizabeth Dolin	20 novembre 1993
Marc Laurendeau	Alexandre Da Costa	4 décembre 1993

Agnès Grossmann	L'Ensemble de Cors Omnitonique	18 décembre 1993
Benoit Marleau	Angela Cheng	15 janvier 1994
Mitsou	L'Atelier lyrique de l'Opéra de Montréal	12 février 1994
Serge Turgeon	Martin Chalifour	26 février 1994
Francine Ruel	Quatuor Claudel	12 mars 1994
Anne Létourneau	Marc-A. Hamelin	26 mars 1994
Sylvie Fréchette	Quatuor Laval	9 avril 1994
Michel Forget	Duo Anne Robert et Sylvianne Deferne	20 avril 1994
Lise Watier	Pierre Jasmin	7 mai 1994
Françoise Faucher	Pierre Jasmin	14 mai 1994
Louisette Dussault	Christian Parent	4 juin 1994
Simon Durivage	Richard Raymond	9 juillet 1994
Claude Léveillée	Dai Thai Son	9 juillet 1994
Jean Doré	Quatuor Alcan	23 juillet 1994
Andrée Lachapelle	Claudine Côté	6 août 1994
Pierre Marcotte	L'Ensemble Romulo Larrea	20 août 1994
Daniel Pilon	Le Trio à cordes de Montréal	10 septembre 1994
Sylvie Bernier	Les Chambristes de l'Île	24 septembre 1994
Jean-Marc Chaput	Jean-François Latour	8 octobre 1994
Jean-Marc Brunet	Josée Novembre	22 octobre 1994
Claude Jasmin	Angela Cheng	5 novembre 1994
Diane Juster	Alain Lefèvre	19 novembre 1994
Serge Bélair et Phil Laframboise	Chansonnette française	3 décembre 1994
Albert Millaire	Orchestre baroque de Montréal	17 décembre 1994
Michel Jasmin	Duchemin, Saint-Cyr et Desroches	14 janvier 1995
Jean Coutu	L'Atelier lyrique de l'Opéra de Montréal	28 janvier 1995
André Bérard	Marie-Andrée Ostiguy	11 février 1995
Paul Houde	Duo Marie Fabi et Marcelle Mallette	25 février 1995
Jacques Fauteux	Oleg Pokhanovski	11 mars 1995
Raymond Bouchard	Brigitte Poulin et Michelle Seto	25 mars 1995
Nicole Simard	Quatuor Claudel	8 avril 1995
Louise Portal	Michel Fournier	22 avril 1995
Pierre Bruneau	L'Atelier lyrique de l'Opéra de Montréal	13 mai 1995
Pauline Julien	Marc-André Hamelin	27 mai 1995
Jean-Pierre Coallier	Le Trio à cordes de Montréal	17 juin 1995
Michèle Viroly	Brigitte Engerer	1er juillet 1995

Janine Sutto	Dang Thai Son	15 juillet 1995
Béatrice Picard	Duo Darren, Lowe et Suzanne Beaubien	9 juillet 1995
Pierre Bourque	L'Ensemble Romulo Larrea	12 août 1995
Daniel Paillé	Quatuor à cordes Alcan	26 août 1995
Edgar Fruitier	Alexandre Da Costa	16 septembre 1995
Patricia Tulasne	Joseph Rouleau	30 septembre 1995
Angèle Dubeau	Oleg Pokhanovski	14 octobre 1995
Guy A. Lepage	Alain Lefèvre	28 octobre 1995
Andrée Champagne	Atelier lyrique de l'Opéra de Montréal	11 novembre 1995
Corinne Côté-Lévesque	Duo Stéphane Lemelin et Martine Desroches	25 novembre 1995
Jean-Pierre Ferland	Ensemble Johann Schrammel	9 décembre 1995
Claudine Mercier	Joseph Rouleau	16 décembre 1995
Stéphane Bureau	Lucille Chung	27 janvier 1996
Jacques Duchesneau	Duo Marie Fabi et Marcelle Mallette	10 février 1996
Charles Tisseyre	Dana Nigrim, piano	24 février 1996
Bernard Landry	Quatuor Arthur Leblanc	9 mars 1996
Pierre Maisonneuve	Jean-François Latour	23 mars 1996
Gérald Larose	Richard Raymond	6 avril 1996
Renée Martel	Atelier lyrique de l'Opéra de Montréal	20 avril 1996
Marcel Béliveau	Orchestre baroque de Montréal	4 mai 1996
Louise Deschâtelets	Les Chambristes de la Cathédrale	18 mai 1996
Jean-Luc Mongrain	Natalie Choquette	1er juin 1996
Claude Charron (TV)	Louis-Philippe Pelletier	15 juin 1996
Mitsou	Le Quatuor Morency	29 juin 1996
Réal Giguère	Duo Lowe-Beaubien et François Paradis	13 juillet 1996
Guy Fournier	L'ensemble Romulo Larrea	27 juillet 1996
Benoit Brière	Alain Lefèvre	10 août 1996
Jacques Parizeau	Pierre Jasmin	24 août 1996
Jean-François Lépine	Karina Gauvin, soprano	7 septembre 1996
Chantal Fontaine	Lucille Chung, piano	21 septembre 1996
Marie Plourde	Quatuor Arthur LeBlanc	5 octobre 1996
Marie-Lise Pilote	Louis-Philippe Pelletier, piano	19 octobre 1996
Lise Bissonnette	Atelier lyrique de l'Opéra de Montréal	2 novembre 1996
Marc Laurendeau	Orchestre baroque de Montréal	16 novembre 1996
Pierre Francœur	Duo Marie Fabi et Marcelle Mallette	30 novembre 1996

Monique Lepage	Paul-André Asselin	7 décembre 1996
Michel Côté	Colette Boky, soprano	14 décembre 1996
Guy Latraverse	Anne Robert et	18 janvier 1997
	l'Ensemble du Conservatoire	
Brigitte Paquette	Quartango	1er février 1997
Andrée Boucher	Marc-André Gauthier, piano	15 février 1997
Yves Beauchemin	Richard Raymond, piano	1er mars 1997
Jean Coutu, comédien	Atelier lyrique de	15 mars 1997
	l'Opéra de Montréal	
Paul Arcand	Henri Brassard, piano	29 mars 1997
	et Yegor Dyachkov, violoncelle	
Marie-Josée Longchamps	Louise Marcotte, soprano	12 avril 1997
	et Marc Boucher, piano	
Marie-Claude Lavallée	Jean-François Latour, piano	19 avril 1997
Edgar Fruitier	Louis Quilico	26 avril 1997
	et Christina Petrowska	
	(concert bénéfice)	
Stéphane Laporte	Pierre Jasmin, piano	10 mai 1997
Reine Malo	Trio Michèle Gagné,	24 mai 1997
	Brigitte Poulin,	
	Geneviève Beaudry	
Louise Marleau	Les Trois Sopranos	7 juin 1997
Jean Cournoyer	Stéphan Sylvestre	21 juin 1997
André-Philippe Gagnon	L'Ensemble Kaffeehaus	5 juillet 1997
	et la famille Laferrière-Doane	
Renée Claude	Denise Pelletier, soprano	19 juillet 1997
	et Louise Pelletier, piano	
Claude Dubois	L'Ensemble Romulo Larrea	2 août 1997
Patrice L'Écuyer	François Carrier	16 août 1997
	et Janine Lachance	
Stéphan Rousseau	Gino Quilico, baryton,	30 août 1997
	et Alain Lefèvre, piano	
Pierre Curzi	Orchestre baroque de Montréal	13 septembre 1997
Michel Jasmin	Alexandre Da Costa	27 septembre 1997
Marc Labrèche	Philippe Giusiano, piano	11 octobre 1997
Patrice L'Écuyer	Atelier lyrique de	25 octobre 1997
	l'Opéra de Montréal	
Gilles Auger	Classicus	8 novembre 1997
Danielle Rainville	Duo Marie Fabi piano,	22 novembre 1997
	Marcelle Mallette, violon	
Gilles Proulx	Les Jeunes Ambassadeurs	29 novembre 1997
	lyriques	
Paul Arcand	Alain Lefèvre, piano	6 décembre 1997

Index

Remerciements

À Liz Morency pour son aide à l'informatique et à la rédaction. Journaliste et romancière, elle est également spécialiste en intégration et en gestion de nouveaux médias.

À Pierre Turgeon, mon éditeur, qui a cru dans mon projet, et qui s'est lancé dans l'aventure avec conviction.

À Hélène Noël, éditrice adjointe, pour son excellent travail de supervision.

À Renée Roy, attachée de presse, pour m'avoir présenté à Pierre Turgeon.

Table

Pierre Péladeau cet inconnu
composé en caractères Times corps 12
a été achevé d'imprimer
sur les presses de Marc Veilleux imprimeur
à Boucherville
le dix-sept janvier deux mille trois
pour le compte des ÉDITIONS TRAIT D'UNION.

Imprimé au Québec